Collection **marabou**

Afin de vous informer de toutes ses publications, **marabout** édite des catalogues régulièrement mis à jour. Vous pouvez les obtenir gracieusement auprès de votre libraire habituel.

Les collections ***informatiques*** sont dirigées par ghéorghiï vladimirovitch grigorieff

---

Direction de l'édition	Yann Delalande
Direction littéraire	Françoise Dequenne
Mise en page	Angstroem
Couverture et illustrations	Ho Minh Duc
Composition	Les ateliers Virga Processing

Composition et mise en page sur la chaîne de micro-édition Apple (Mac IICx® et Laserwriter II NTX®).

Olivier Gilkain

Dictionnaire du synthétiseur et de la musique informatique

Français-anglais / Anglais-français

Information

Certains ouvrages de la collection informatique sont également accessibles sur un support spécial destiné aux non-voyants.

Pour obtenir la liste des ouvrages disponibles ainsi que tout renseignement utile, prière de prendre contact avec :

AEDE
26 Rue Robert De Cotte
Perpignan (France)

Sommaire

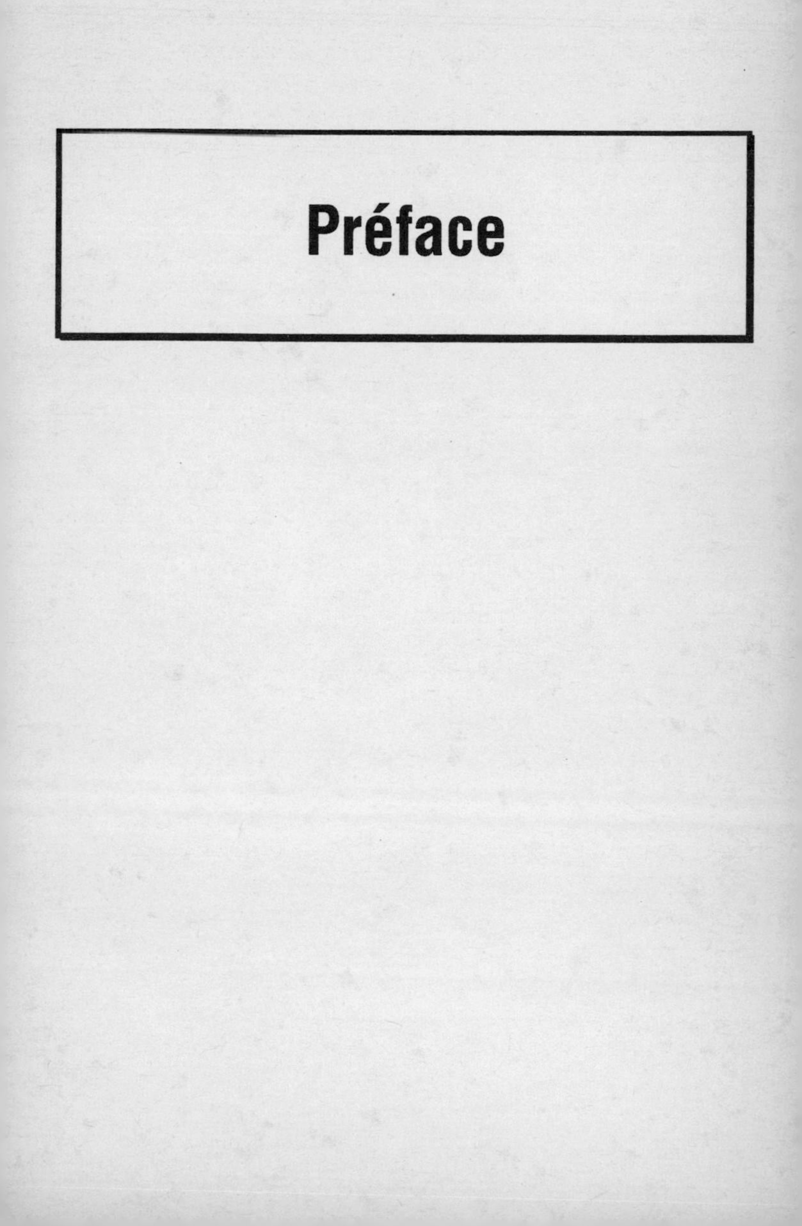

Préface

De tout temps, la musique a occupé une place prépondérante dans l'épanouissement de l'humanité. Comme un grand vin se bonifie en vieillissant, elle s'est enrichie au fil des siècles pour devenir un art à part entière.

L'avènement de l'électronique a fortement bouleversé le monde musical; beaucoup vont même jusqu'à parler d'une révolution. Les uns y voient un véritable sacrilège; les autres, en revanche, considèrent que "l'ère de l'électronique" ne constitue qu'une étape parmi tant d'autres dans l'aventure de la musique.

Quoi qu'il en soit, tous ces développements ne laissent personne indifférent et il y a tout lieu de croire qu'ils susciteront encore de nombreuses réactions.

L'apparition d'un nouveau type d'instruments entraîne presque toujours la naissance d'une nouvelle terminologie. Et, quand on sait que la plupart des fabricants de synthétiseurs, boîtes à rythmes et autres instruments de musique électronique sont établis aux Etats-Unis et au Japon, on comprend sans peine pourquoi l'anglais occupe une place si importante dans ce domaine.

En outre, l'essor de ce secteur a été à ce point rapide que bon nombre de spécialistes francophones ont renoncé à l'emploi des termes techniques français au profit de la terminologie anglaise. Selon eux, l'anglais est LA langue de la technique et toute tentative de traduction est par avance vouée à l'échec. Comment expliquent-ils, dès lors, que dans d'autres disciplines telles que l'informatique, les équivalents français aient été très bien accueillis ?

La langue est un fait social : c'est nous tous qui la faisons vivre. S'il est vrai que la souplesse de l'anglais peut amener une réelle paresse linguistique chez certains, il faut savoir qu'il ne tient qu'à nous d'inverser le processus en adoptant un vocabulaire clair et précis.

Loin de faire autorité en la matière, cet ouvrage se veut avant tout un outil simple et efficace, destiné non seulement aux néophytes, pour qui la terminologie anglaise représente un obstacle supplémentaire - et inutile - à leur apprentissage, mais aussi aux spécialistes, qui ont souvent bien du mal à dialoguer avec les "non-initiés"...

Histoire de la musique électronique

Depuis plusieurs années déjà, les instruments de musique électronique ont acquis une place enviable dans l'univers de la musique. Tout le monde a un jour ou l'autre entendu parler des synthétiseurs et de leurs énormes possibilités mais beaucoup moins savent quand et par qui ils ont été inventés.

En vérité, il est bien difficile de déterminer avec certitude qui est “l'inventeur” du synthétiseur : tout dépend de ce que ce terme évoque dans l'esprit de chacun.

Toutefois, la plupart des spécialistes s'accordent à dire que le tout premier instrument de musique électronique fut conçu aux Etats-Unis en 1874. Son inventeur, ***Elisha Gray***, tira en fait profit d'une curieuse expérience réalisée par son jeune neveu, qui avait connecté des batteries et une anche métallique à son bassin de toilette. Gray remarqua que ce montage produisait un son sourd et il lui vint à l'idée de le perfectionner. Après de nombreux essais en laboratoire, il finit par mettre au point un petit instrument muni d'un clavier de treize touches qu'il baptisa le *Musical Telegraph* (le Télégraphe Musical).

En 1896, ***Thaddeus Cahill***, juriste et inventeur américain, développa un instrument qui allait à jamais marquer l'histoire de la musique : le *Telharmonium*, également connu sous le nom de *Dynamophone*. Véritable synthétiseur polyphonique, le Telharmonium disposait d'un clavier à réponse sensitive et était capable de reproduire diverses sonorités. A ce propos, les générateurs de son de l'appareil étaient si bruyants que Cahill fut contraint de les isoler dans une autre pièce. Le musicien pouvait entendre ce qu'il jouait grâce à un récepteur téléphonique placé juste derrière lui. En outre, la miniaturisation n'avait semble-t-il pas encore fait son apparition en cette fin de XIXe siècle : l'instrument pesait 200 tonnes et occupait le rez-de-chaussée ainsi que le premier étage de l'immeuble qui l'abritait. Signalons que la réalisation du Telharmonium exigea plus de 250 000 dollars à l'époque, soit quelque trente millions de francs français actuels. Une paille !

Aussi étrange que cela puisse paraître, Cahill fut confronté à des difficultés financières si bien qu'il ne put jamais atteindre son véritable objectif, à savoir utiliser les lignes téléphoniques pour transmettre sa musique à distance.

En 1920, ***Leon Theremin***, un scientifique russe, imagina un instrument monophonique auquel il donna son nom. Conçu pour être joué en solo, le *Theremin* ne possédait pas de clavier mais des antennes. Un simple mouvement des mains autour de ces antennes permettait au musicien de produire différentes notes ou effets (vibrato,...). Le Theremin fut le premier “synthétiseur” à générateur de son hétérodyne.

Quelques années plus tard, vers 1924, un Allemand du nom de ***Jörg Mager*** eu l'idée de construire un clavier monophonique capable de produire des quarts de ton : le Sphérophon. Basé sur un principe de génération sonore comparable à celui du Theremin, le *Sphérophon* ne remporta toutefois pas le succès escompté par son inventeur.

En 1928, un autre instrument suscita l'intérêt du monde musical : les *ondes Martenot*, du nom de leur inventeur Maurice Martenot. Bien que monophonique, il offrait de meilleures commandes que le Theremin, dont il reprenait le système de génération sonore, et était équipé d'un clavier, autorisant ainsi l'exécution d'oeuvres plus traditionnelles. Les ondes Martenot connurent un succès retentissant.

Au début des années 30, le docteur ***Friedrich Trautwein*** présenta le *Trautonium.* Semblable à plusieurs égards aux ondes Martenot, cet appareil monophonique abandonnait le principe du générateur hétérodyne au profit d'un générateur à tube néon. Le Trautonium faisait par ailleurs appel à un type de synthèse bien connu de nos jours : la synthèse soustractive.

Peu après apparut l'*Hellertion* de ***Bruno Helberger*** et ***Peter Lertes.*** Malheureusement, à l'instar de bien des instruments de musique électronique, il sombra vite dans l'oubli.

En 1935, ***Laurens Hammond*** introduisit sur le marché le fameux orgue qui devait devenir un des instruments les plus populaires de tous les temps. Pour beaucoup, l'*orgue Hammond* est à l'origine du synthétiseur actuel. Comme ce dernier, il faisait appel à un système de génération sonore basé sur l'électricité mais n'offrait aucune possibilité de programmation.

En juillet 1955, **RCA** dévoila le *RCA Synthesizer,* un nouveau type de synthétiseurs, capable non seulement de produire mais aussi de traiter des sonorités d'une grande complexité. Cet appareil ouvrait la voie à la manipulation sonore et pouvait mémoriser de nombreuses données (volume, timbre, hauteur, etc.), ce qui en faisait un outil de recherche précieux.

C'est au cours des années 60 qu'apparut le synthétiseur moderne. En effet, en 1964, ***Robert Moog*** mettait la dernière main au *Moog Modular System* (Système Modulaire Moog), un instrument bien pensé et beaucoup moins onéreux que ses prédécesseurs. Fort du vif succès remporté par son instrument, Moog poursuivit ses recherches et présenta en 1967 le célèbre Mini-Moog, un synthétiseur commandé par tension qui au total se vendit à plus de 13 000 exemplaires. Une belle réussite pour l'époque !

Deux ans plus tard, l'ingénieur ***Donald Buchla*** conçut le *Buchla Modular Electronic Music System* (Système Modulaire de Musique Electronique). Dépourvu de clavier, l'appareil était actionné à l'aide d'une série de plaques à réponse sensitive et disposait d'un séquenceur.

L'apparition du synthétiseur commandé par tension éveilla l'intérêt de plusieurs nouveaux fabricants tels que ***Roland***, ***Korg***, ***Oberheim*** et ***Arp***, qui ne tardèrent pas à proposer chacun leur variation sur ce même thème.

Aujourd'hui, le “numérique” a presque entièrement conquis le monde de la synthèse sonore et l'informatique se montre à son tour de plus en plus pressante.

Mais la fabuleuse épopée des instruments électroniques ne s'arrête pas là et Dieu seul sait ce que l'avenir nous réserve encore...

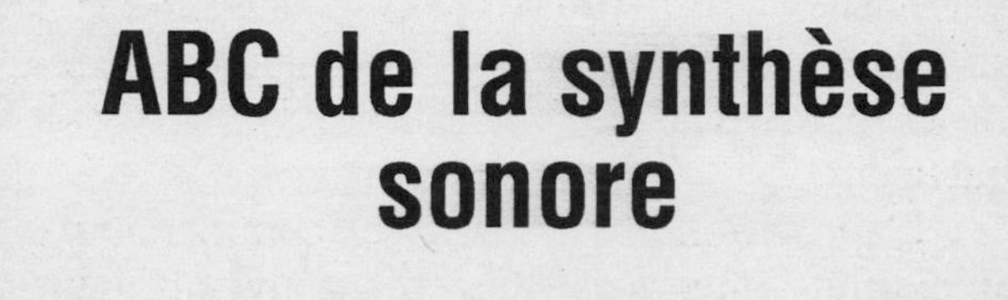
ABC de la synthèse
sonore

Qu'est-ce qu'un ***synthétiseur*** ? Selon le Petit Robert, le synthétiseur est un “appareil électro-acoustique capable de transformer et de faire la synthèse d'éléments sonores à partir de leurs constituants."

Cette définition, pourtant bien élaborée, peut paraître obscure aux yeux des novices car elle suppose un minimum de connaissances en acoustique de la part du lecteur. En réalité, la physique du son est une discipline très complexe qu'il nous est impossible de voir de manière approfondie dans le cadre de cet ouvrage; aussi limiterons-nous notre étude aux rudiments en la matière.

L'exemple le plus souvent utilisé pour expliquer le phénomène du son consiste à comparer celui-ci avec l'effet produit par une pierre qu'on jette dans une mare : au moment du choc, des cercles se mettent à rayonner depuis le point d'impact vers l'extérieur. Ces cercles ne sont ni plus ni moins que des vibrations qui se propagent dans l'eau sous la forme d'une onde. Le son résulte du même processus : les vibrations d'un objet engendrent des perturbations qui évoluent dans l'air sous la forme d'ondes sonores semblables aux cercles à la surface de l'eau.

La synthèse du son consiste à générer des ondes et à les modifier avant de les transmettre à un système d'amplification.

En règle générale, on considère que le son se compose de trois éléments : la hauteur, le timbre et l'intensité.

1° La hauteur

Les synthétiseurs permettent de générer des vibrations électroniquement. Un nombre peu élevé de vibrations donne lieu à un son grave; à l'inverse, un nombre élevé de vibrations produit un son aigu. Chaque répétition d'une onde s'appelle un ***cycle*** ou une période. On appelle ***fréquence*** le nombre de cycles par seconde. Les fréquences se mesurent en ***Hertz*** (Hz) ou, plus rarement, en cycles par seconde (c.p.s.).

2° Le timbre

Le timbre est la qualité d'un son, qui différencie chaque type d'instruments d'un autre. Par exemple, un piano et une guitare possèdent des timbres très distincts. Ces différences sont dues aux ***harmoniques***, c'est-à-dire des sons qui viennent s'ajouter à la fondamentale (fréquence la plus grave qu'émet un corps sonore en vibration).

3° L'intensité

L'amplitude d'une onde détermine son volu***me sonore***. Ainsi, une vibration de faible intensité ne cause qu'une légère perturbation dans l'air de telle sorte que le volume du son perçu est peu élevé.
L'inverse est également vrai. L'unité de mesure de l'intensité est le ***décibel*** (dB). 0 dB constitue le seuil de l'audition, le son minimal que l'oreille soit capable de percevoir. Le seuil de la douleur se situe, quant à lui, à 120 dB et le dépasser peut provoquer des lésions irréversibles.

dB	type de manifestation
10	bruissement de feuilles
20	chuchotement
30	léger trafic
40	musique douce
50	conversation
60	bureau bruyant
70	supermarché
80	rue animée
90	semi-remorque
100	trafic intense
110	marteau-piqueur
120	seuil de la douleur, avion à réaction

ONDES ET FORMES D'ONDE

Nous avons vu que le son se propageait sous la forme d'ondes.
Si on visualise ces ondes sur un oscilloscope, on remarque que chaque son présente une forme d'onde spécifique. La synthèse sonore permet de reproduire de telles formes d'onde. Les cinq formes d'onde les plus courantes sont l'onde sinusoïdale, l'onde carrée, l'onde en dent de scie, l'onde d'impulsion et l'onde triangulaire.

1° L'onde sinusoïdale

Elle ne contient pas d'harmonique mais uniquement la fondamentale, ce qui en fait un outil fort important en synthèse sonore. Le son d'une onde sinusoïdale ressemble à celui d'une flûte.

2° L'onde carrée

Pur produit de synthèse, l'onde carrée est facile à générer artificiellement. Elle ne contient que des harmoniques impaires et produit un son plutôt creux.

3° L'onde en dent de scie

Plus complexe que les précédentes, elle renferme à la fois des harmoniques paires et impaires et émet un son assez particulier, tel celui d'un saxophone.

4° L'onde d'impulsion

L'onde d'impulsion présente plus ou moins les mêmes caractéristiques que l'onde carrée. De plus, son contenu harmonique se prêtant à de nombreuses modifications, elle se révèle très utile en synthèse sonore.

5° L'onde triangulaire

L'onde triangulaire est assez semblable à l'onde sinusoïdale (accent sur la fondamentale) et à l'onde carrée (elle ne contient pas d'harmonique impaire). Il en résulte un son proche d'une onde sinusoïdale mais plus profond et plus sourd.

LA SYNTHESE SONORE

Il existe divers types de synthèse. A vrai dire, presque chaque fabricant a adopté un système de génération sonore qui lui est propre. Nous nous contenterons toutefois d'aborder les plus représentatifs d'entre eux.

ANALOGIQUE OU NUMERIQUE ?

On distingue deux grands types de synthétiseurs : les synthétiseurs numériques et les synthétiseurs analogiques.

Les synthétiseurs numériques contiennent en mémoire des codes binaires qui représentent différentes formes d'onde. Chaque chiffre correspond à un niveau d'amplitude d'une onde. Avant d'être transmises à un haut-parleur, ces données numériques sont soumises à un convertisseur numérique/analogique, qui les transforme en courant électrique.

Les synthétiseurs analogiques "travaillent" directement avec des ondes électriques, sans passer par une représentation binaire.

Bien que les synthétiseurs numériques offrent un extraordinaire éventail de formes d'onde ainsi que des possibilités de manipulation de loin supérieures à celles de leurs cousins analogiques, on constate depuis quelque temps un net regain d'intérêt pour ces derniers.

1° La synthèse à consultation de tables d'onde

Les synthétiseurs à consultation de tables d'onde contiennent en mémoire des tables de nombres qui représentent différentes formes d'onde. Grâce à un microprocesseur, ils peuvent lire ces nombres et construire des sons complexes.

2° Synthèse additive

Elle consiste à combiner plusieurs formes d'onde afin de créer un son complexe.

3° Synthèse soustractive

Comme on peut l'imaginer, la synthèse soustractive s'oppose à la synthèse additive, en ce sens qu'elle consiste à générer des formes d'onde riches en harmoniques et à soustraire ensuite les harmoniques superflues.

4° Synthèse FM

En deux mots, la synthèse FM fonctionne de la manière suivante :
en modulant une onde sinusoïdale (porteur) au moyen d'une autre onde sinusoïdale (modulateur), on obtient une forme d'onde riche en harmoniques. Ce procédé, apparu dans les années 80, offre des sonorités d'une extrême pureté.

5° Synthèse par distorsion de phase

Basés sur un principe de modulation similaire à celui de la synthèse FM, les synthétiseurs à distorsion de phase contiennent en mémoire des ondes sinusoïdales de fréquences différentes. Le procédé consiste à moduler ces ondes au moyen d'une onde à commande numérique afin de provoquer une distorsion de phase. On peut de cette manière modifier les paramètres du son.

6° La synthèse arithmétique linéaire

Les synthétiseurs fonctionnant selon ce procédé génèrent leurs sonorités à partir de partiels c'est-à-dire des sources partielles qui, combinées les unes avec les autres engendrent des sons d'une grande complexité, à la fois très chauds et très réalistes.

7° L'échantillonnage numérique

On confond souvent échantillonneurs et synthétiseurs. Pourtant ce sont bien deux instruments différents : les synthétiseurs génèrent leurs formes d'onde électroniquement tandis que les échantillonneurs font appel à des sonorités existantes.

L'échantillonnage numérique, plus simplement appelé échantillonnage, est en réalité un enregistrement numérique.

Les échantillonneurs mesurent à intervalles réguliers les ondes analogiques transmises par un microphone et les mémorisent sous la forme de code binaire. Ces données peuvent être appelées, reconverties en voltage et filtrées pour être acheminées vers un système d'amplification. De cette manière, on peut échantillonner n'importe quel son — le gazouillis d'un oiseau, une sirène de bateau ou même un cri de votre chanteur préféré — et le transposer sur le clavier.

Le standard MIDI

Apparue en 1983, l'interface MIDI (*Musical Instrument Digital Interface*) a littéralement bouleversé le monde de l'électronique musicale. Pour reprendre la définition du “MIDI guidebook” édité par Roland, le MIDI (Tiens ! On parle du MIDI malgré que le terme “interface” soit du genre féminin) est “le langage qui unit aujourd'hui tous les instruments de musique électroniques.”

Il existe trois types de prises MIDI (connecteurs DIN femelles à cinq broches) : **MIDI IN, MIDI OUT** et **MIDI THRU.**

• **MIDI IN** (entrée MIDI) reçoit les données MIDI envoyées par un autre instrument MIDI.

• **MIDI OUT** (sortie MIDI) permet à un instrument de transmettre des données MIDI à un autre appareil MIDI.

• **MIDI THRU** (sortie MIDI directe) émet une copie exacte des données reçues par la prise MIDI IN.

L'exemple suivant illustre l'application la plus simple de l'interface MIDI :

En connectant la prise MIDI OUT d'un synthétiseur A à la prise MIDI IN d'un synthétiseur B, il est possible de commander les deux appareils simultanément à partir du premier. Ainsi, chaque instrument MIDI peut "dialoguer" avec n'importe quel autre appareil équipé de cette même interface (piano électronique, ordinateur, séquenceur, etc.)

Il est clair que les informations reprises dans ces quelques chapitres ont été réduites à leur plus strict minimum. Si toutefois vous désiriez en savoir plus, nous ne saurions trop vous conseiller la lecture des deux excellents ouvrages de Luc Calberg et Patrick Lefebvre : *L'indispensable pour la musique assistée par ordinateur*, Marabout MS 862 et *Le synthétiseur facile*, Marabout MS 955.

Dictionnaires

Présentation

Ce dictionnaire est divisé en quatre parties :

I. Dictionnaire anglais-français
II. Dictionnaire français-anglais
III. Abréviations
IV. Dictionnaire visuel anglais-français

La ***première partie*** compte plus de 2 000 termes anglais classés dans l'ordre alphabétique, avec leurs équivalents français en regard.

La ***deuxième partie*** compte plus de 2 000 termes français classés dans l'ordre alphabétique, avec leurs équivalents anglais en regard.

Les composés anglais sont placés sous le premier élément : “alphabetic code” sous “alphabetic”, “input channel” sous “input”.

La ***troisième partie*** est consacrée aux principales abréviations relatives aux synthétiseurs et à leurs périphériques.

La ***quatrième partie*** reprend sous la forme d'un dictionnaire visuel les termes désignant les principales commandes des synthétiseurs.

Remarque concernant la quatrième partie :

> Les illustrations représentant des instruments ont pour seul but de clarifier par l'image certains termes du dictionnaire; elles ne constituent en aucun cas un inventaire des principaux produits actuellement sur le marché.

Dictionnaire français-anglais

A

abaisser	lower [to]
abandon	abort
abandonner	abort [to]
accéder	access [to]
accélérer	speed up [to]
accent	accent
acceptation	acceptance
accès	access
accès à la mémoire	memory access
accès aléatoire	random access
accès aléatoire à la mémoire	memory random access
accès direct	direct access
	immediate access
accès direct, à -	direct access
accès direct à la mémoire	direct memory access
accès instantané	instantaneous access
accès rapide, à -	fast access
accessible à l'utilisateur	user-accessible
accessoire	accessory
	attachment
	adjunct
accompagnement	accompaniment
accompagnement intelligent	chord intelligence
accompagner	accompany [to]
accomplir	perform [to]
accord	chord
	tune
	tuning

accord de basse	bass chord
accord de basse automatique	auto bass chord
accord fin	fine tuning
accordable	tuneable
	tunable
accordage	tuning
	tune
accordage général	master tuning
	master tune
accordement	tune
	tuning
accorder	tune [to]
ACL à x lignes de y caractères	y-character x-line LCD
acoustique	audio
	acoustical
	acoustic
actionner	operate [to]
activer	activate [to]
adaptable	adaptable
adaptateur	adaptor
	adapter
adaptateur CA	AC adapter
	AC power adaptor
	AC adaptor
	AC power adapter
adaptateur d'interface	interface adapter
adaptateur intégré	integrated adapter
adaptateur monocartouche	single cartridge adaptor
adaptateur périphérique	device adapter
adaptateur secteur	AC adapter
	AC power adaptor
	AC adaptor
	AC power adapter
addition d'harmoniques	harmonics addition
affaiblir, s'-	die down [to]
	die away [to]

affaiblissement	decay
affectation	assignment
affectation de la commande de souffle	breath controller assign
affectation de la molette de modulation	modulation wheel assign
affectation de la pédale de commande	foot controller assign
affectation de la pédale de soutenu	sustain pedal assign
affectation de l'interrupteur au pied	footswitch assign
affectation de paramètre	parameter assign
affectation de sortie	output assign
affectation du clavier	key assign
affecter	assign [to]
affichage	display readout visual readout
affichage à cristaux liquides	liquid crystal display
affichage à la mise sous tension	power-on display
affichage analogique	analog display
affichage électroluminescent	LED display LED readout
affichage lumineux	lighted display
affichage numérique	digital readout digital display
affichage optique	visual indicator
affichage sur écran	screen display
afficher	display [to] read [to] read out [to] show [to]
affiner	finish off [to] refine [to]

aide à la programmation graphique	graphic programming assistance
aigus	treble
ajouter	append [to]
ajuster	adjust [to]
aléatoire	random
algorithme	algorithm
algorithme à deux porteurs	dual carrier algorithm
algorithme à un seul porteur	single carrier algorithm
alimentation	power (supply)
alimentation CC	DC power
alimentation frontale	front feed
alimentation par pile(s)	battery power supply
alimentation secteur	AC power
alimenté par pile(s)	battery powered
alimenter	feed [to]
	power [to]
alimenter en retour	feed back [to]
allouer	allocate [to]
	assign [to]
allumer	turn on [to]
	switch on [to)
allumer, s'-	light (up) [to]
alphabétique	alphabetic
	alphabetical
amélioration	enhancement
améliorer	enhance [to]
amorçage	booting (up)
amorcer	boot (up) [to]
	start [to]
amortir	damp [to]
amortir, s'-	decay [to]
amortissement	damping
amovible	removable
ampli	amplifier
amplificateur	amplifier

amplificateur à variation temporelle	time variant amplifier
amplificateur contrôlé par tension	voltage controlled amplifier
amplificateur de clavier	keyboard amplifier
amplificateur de puissance	power amplifier
amplificateur de tension	voltage amplifier
amplificateur dynamique numérique	digital dynamic amplifier
amplificateur numérique variable	variable digital amplifier
amplification	amplification
amplification de puissance	power amplification
amplifier	amplify [to]
amplitude	amplitude depth width
analogique	analog
analogique-numérique	analog-digital
analyseur de signal	signal analyser
angle de phase	phase angle
annulation	cancellation cancel
annulation de l'enregistrement	record cancel
annuler	delete [to] cancel [to]
appareil	device
appareil émetteur	transmitting equipment
appareil externe	external device
appareil MIDI	MIDI device
appareil récepteur	receiving device
appareillage	equipment
apparition progressive	fade-in
appel	call
appeler	call [to]

approche	approach
appuyer	press [to]
armature	key signature
armure de clef	key signature
arpège	arpeggio
arpègiateur	arpeggiator
arrangeur	arranger
arrangeur automatique	auto-arranger
	automatic arranger
arrêt	stop
	cutoff
arrêt automatique	automatic cutoff
	automatic stop
	auto stop
arrêter	halt [to]
	stop [to]
arrêter, s'-	die away [to]
	die down [to]
assembler	assemble [to]
assignation de valeur	value assignment
assigner	assign [to]
assisté	assisted
assisté par ordinateur	computer assisted
	computer aided
	computer controlled
assourdir	mute [to]
asymétrique	asymetrical
asynchrone	asynchronous
atonal	atonal
attaque	attack
attente	stand-by
attente, en -	stand-by
attente d'enregistrement	record standby
atténuateur	attenuator
atténuateur de niveau	level attenuator

atténuateur de niveau de sortie	output level attenuator
atténuation	attenuation
	fader
	loss
atténuation de niveau de sortie	output level attenuate
atténuer	attenuate [to]
audible	audible
audio	audio
audiofréquence	audio frequency
augmentation	enhancement
augmenter	enhance [to]
autocorrection	autocorrect
automatique	automatic
automatiquement	automatically
autonome	off-line
	stand-alone
auxiliaire	ancillary
avarie	damage
axial	axial

B

balayage	scanning
	sweep
balayage en basse fréquence	low frequency sweep
balayer	scan [to]
bande	band
bande audiofréquence	audio tape
bande de fréquences	frequency band
bande de sauvegarde	backing tape
bande (magnétique)	tape
bande magnétique	magnetic tape
bande passante	pass band
bande sonore	audio tape
banque	bank
banque de mémoire	bank memory
bas	bass
	low
bas médium	low medium
basculer	flip [to]
basse fréquence	low frequency
basses fréquences	bass
battement	beat
	thump
batterie	battery
batterie électronique	drum machine
battre la mesure	beat time [to]
baud	baud
bidirectionnel	bidirectional
binaire de poids faible	least significant bit

binaire de poids fort	most significant bit
bip sonore	beep sound
bipasse	bypass
bit	bit
bitimbral	bi-timbral
bloc	block
bloc de touches	keypad
boîte à rythmes	drum machine
	rhythm composer
	rhythm programmer
	rhythm machine
boîtier	case
	cabinet
borne	terminal
borne à poussoir	push terminal
borne de connexion	connecting terminal
borne d'entrée/sortie MIDI	MIDI in/out terminal
borne de raccordement	connection terminal
borne de sortie	output jack
bouclage	looping
boucle	loop
boucle de courant	current loop
boucle de rétroaction	feedback loop
boucle fermée	closed loop
boucle ouverte	open loop
boucle sans fin	endless loop
boucle simple	basic loop
bourdonnement	hum
bouton	button
	knob
bouton d'arrêt	stop button
bouton de commande	activate button
	control
	control knob
bouton d'éjection	eject button
bouton de réglage	control knob

bouton de réglage de volume	volume control
bouton de réglage fin	fine switch
bouton de réglage grossier	coarse switch
bouton de réinitialisation	reset button
bouton de remise à l'état initial	reset button
bouton de remise à zéro	reset button
bouton-poussoir	push-button
branchement	connection
branchement de liaison	interface connection
brancher	connect [to]
	plug in [to]
	patch [to]
	switch on [to]
	turn on [to]
broche	pin
bruit	noise
bruit blanc	broadband noise
	white noise
bruit d'ambiance	ambient noise
bruit de fond	background noise
	basic noice
	hum
	grass
	ground noise
	noodle
bruit de ligne	circuit noise
	line noise
bruit lourd et sourd	thump
bruit parasite	chatter
bruit résiduel	residual noise
bruit rose	pink noise
bruit, sans -	noise-free
bus d'adresses	address bus
bus de commande	control bus
bus de données	data bus

C

câblage	patch
	wiring
câble	cord
	cable
câble blindé	armoured cable
câble de connexion	connecting cable
câble d'entrée/sortie	input/output cable
câble de raccordement	connection cable
câble d'interconnexion	interconnect cable
câble plat	flat cable
cadence	swing
cadran	dial
cadran alpha	alpha dial
cadran de commande	alpha dial
	increment dial
canal	channel
canal de base	basic channel
canal d'enregistrement	recording channel
canal d'entrée	input channel
canal de réception	reception channel
	receiving channel
	receive channel
canal de sortie	output channel
canal de transmission	transmitting channel
	transmit channel
canal d'introduction	input channel
canal MIDI	MIDI channel

capacité de la mémoire interne	internal memory capacity
capacité de mémoire	memory capacity
	storage capacity
caractère	character
caractère d'identification	identification character
caractéristique	characteristic
caractéristique (technique)	feature
caractéristiques (techniques)	specifications
carte	board
	card
carte de données	data card
carte d'extension	expansion board
carte (de) mémoire	memory card
	memory board
carte, sur -	on-board
cartouche	cartridge
cartouche à bande	tape cartridge
cartouche amovible	removable cartridge
cartouche de données	data cartridge
cartouche de programmes	programme cartridge
cartouche d'exécution	performance cartridge
cartouche magnétique	data cartridge
cartouche RAM	RAM cartridge
casque d'écoute	headphones
cassette	cassette
	tape
cassette de bande magnétique	magnetic tape cassette
centraliser	centralize [to]
chaîne	chain
chaîne à haute-fidélité	audio system
changement	alteration
changement de commande	control change
changement de disque	disc change
changement de programme	programme change

changer	alter [to]
	vary [to]
changer le nom de	rename [to]
chanson	song
chargement	load
	loading
chargement automatique	autoload
chargement de cartouche	cartridge load
	cartridge loading
chargement frontal	front loading
chargement rapide	quick load
chargement unitaire	loading single
charger	load [to]
chevauchement	overlapping
chevaucher, se -	overlap [to]
chiffre	digit
chiffre décimal	decimal digit
chiffre hexadécimal	hexadecimal digit
choisir	select [to]
chromatique	chromatic
circuit analogique	analog circuit
circuit de commande	control circuit
circuit de contournement	bypass
circuit en boucle fermée	closed loop circuit
circuit imprimé	circuit-board
circuit intégré	integrated circuit
circuit, mettre hors -	turn off [to]
circuit numérique	digital circuit
circuit ouvert	open circuit
circuits	circuitry
circuits électroniques	computer circuitry
circuits numériques	digital circuitry
	computer circuitry
clavier	keyboard
	manual
	keypad

clavier à réponse sensitive	velocity sensitive keyboard
clavier à x notes	x-note keyboard
clavier d'échantillonnage	sampling keyboard
clavier de commande	keyboard controller
clavier d'enregistrement	recording keyboard
clavier dynamique	dynamic keyboard
clavier externe	external keyboard
clavier inférieur	lower keyboard lower manual
clavier musical	music keyboard
clavier numérique	numeric keypad
clavier pondéré	weighted keyboard
clavier programmable	programmable keyboard
clavier sensible à la pression	pressure sensitive keyboard
clavier supérieur	upper keyboard upper manual
clignotement	blinking
clignoter	blink [to]
code	code
code alphabétique	alphabet code alphabetic code
code MIDI	MIDI code
coefficient	coefficient
coffret	cabinet
coffret à cartouches	cartridge box
coffret à disquettes	disc box
coloration	coloration
combinaison d'exécution	performance combination
commande	controller switch instruction actuation command control

commande à distance	remote control remote controller
commande alphanumérique	character instruction
commande au pied	foot control/controller
commande automatique	automatic control
commande d'accès	access instruction
commande de contraste	contrast control
commande de fondu sonore	fader
commande de luminosité	brilliance control
commande de niveau	level control
commande de niveau automatique	automatic level control
commande de panoramique	pan control
commande de polarisation	bias control
commande de souffle	breath controller breath control
commande de synchronisation	timing control
commande de tempo	tempo controller tempo control
commande de tonalité	tone control
commande de trémolo	tremolo control
commande de vibrato	vibrato control
commande de volume	volume control
commande de volume général	master volume control
commande d'expression	expression control
commande d'intensité	intensity control
commande directe	direct control
commande en cascade	cascade control
commande en temps réel	real-time control
commande erronée	illegal command invalid command
commande linéaire	linear slider linear control slide[r] control
commande manuelle	manual control

commande MIDI, à -	MIDI controllable
commande monotouche	single stroke control key
commande numérique	numerical control
commandé par ordinateur	computer controlled
commandé par porteur	keyboard operated
commandé par touche	key controlled
communication	communication
communication avec un ordinateur	computer communication
commutateur	switch
commutateur à bascule	toggle switch
commutateur circulaire	rotary switch
commutation d'entrée/sortie	input/output switching
commutateur de soutenu	sustain switch
commutateur électronique	electronic switch
commutateur MIDI	MIDI switch
commutateur secondaire	auxiliary switch
commutation	switching
commuter	switch [to]
comparaison	compare
comparer	compare [to]
compatibilité	compatibility
compatibilité de données	data compatibility
compatibilité MIDI	MIDI compatibility
compatible	compatible
compatible MIDI	MIDI compatible
compensateur d'amplitude	amplitude equalizer
compensateur de retard	delay equalizer
compensé	balanced
composant	component
composant de haute qualité	high grade component
composant électronique	electronic component
composeur de rythmes	rhythm programmer rhythm machine rhythm composer
composition	composition

composition musicale	music composition
compteur	meter
condensateur	condenser
	capacitor
conditions de réception	receive conditions
	reception conditions
conditions de transmission	transmission conditions
	transmit conditions
configuration	configuration
configuration (de) mémoire	memory configuration
configuration de système	system configuration
confirmation	confirmation
connecté	on-hook
	on-line
connecté en série	series connected
connecter	connect [to]
	hook-up [to]
	patch [to]
connecteur	connector
	terminal connector
connecteur de type XLR	XLR type connector
connecteur DIN	DIN connector
connecteur enfichable	pluggable connector
connecteur femelle	female plug
connection mâle	male plug
connecteur MIDI	MIDI connector
connecteur multibroche	multipin connector
	multipoint connector
connexion	patch
	connection
	hook-up
connexion en série	daisy chain
consécutif	subsequent
conserver	retain [to]
consommation électrique	power consumption
contenu	content

contenu en harmoniques	harmonic content
contraste	contrast
contrôle	checking monotoring
contrôle au casque	headphones monitoring
contrôle d'état	status monitoring
contrôle d'exactitude	accuracy control
contrôle par relecture	read back check
contrôler	monitor [to]
contrôleur de synthétiseur	synthesizer driver
conversion numérique/ analogique	digital-to-analog conversion
convertir	convert [to]
convertisseur	converter
convertisseur analogique	analog converter
convertisseur analogique/ numérique	analog-to-digital converter
convertisseur de secteur	power converter
convertisseur hauteur/MIDI	pitch-to-MIDI converter
convertisseur hauteur/tension	pitch-to-voltage converter
convertisseur numérique/ analogique	digital-to-analog converter
convivial	user-friendly
copie de sauvegarde	backup copy
copier	copy [to]
cordon blindé	shielded cord
cordon d'alimentation	AC mains cord power cable line cord
cordon de raccordement	patch cord
cordon (électrique)	cord
cordon secteur	line connector cord
correcteur	equalizer
correction	patch
correction automatique	automatic correction autocorrect

corriger	patch [to]
couper	cut off [to]
coupler	intercouple [to]
coupure	cutoff
coupure automatique d'alimentation	auto powcr off
coupure de filtre	filter cutoff
courant	current
	power
courant alternatif	alternating current
courant continu	direct current
courant secteur	line current
courbe	curve
courbe d'amplitude	amplitude curve
courbe d'attaque initiale	initial attack slope
courbe d'enveloppe	envelope curve
courbe exponentielle	exponential curve
courbe exponentielle ascendante	rising exponential curve
courbe exponentielle descendante	falling exponential curve
courbe linéaire	linear curve
courbe linéaire ascendante	rising linear curve
courbe linéaire descendante	falling linear curve
courbure	bend
course	travel
court-circuit	short circuit
	short
couvercle	lid
crête	apex
	peak
curseur	cursor
	slide control
	slider
	slider control
curseur clignotant	flashing cursor

curseur de volume de rythme	rhythm volume slider
curseur de volume général	master volume slider
cycle	cycle
cycles par seconde	cycles per second

D

débranché	off-hook
débrancher	disconnect [to]
	interrupt [to]
	turn off [to]
	unplug [to]
décalage	lag
	offset
	shift
décalage de hauteur	shift in pitch
	key shift
décalage de phase	phase shift
décalage de ton	key shift
décalage d'horloge	shift clock
décalage d'octave	octave shift
décalé	off-time
décaler	rub out [to]
	offset [to]
décibel	decibel
décimal	decimal
déclenchement	activation
déclencher	trigger [to]
déclencheur	trigger
déconnecté	off-hook
déconnecter	interrupt [to]
déconnexion	disconnection
décrément	decrement
décrémenter	decrement [to]
décroissance	decay

décroissant	downward
décroître	decay [to]
défaillance	damage
	fault
	malfunction
défaillance secteur	power failure
défaut	flaw
défaut, par -	default
défectueux	faulty
défiler	scroll [to]
défiler, faire -	scroll [to]
	scroll through [to]
défini par l'utilisateur	user-defined
définissable par l'utilisateur	user-definable
demande	request
demande de vidage	dump request
démarrer	start [to]
demi-cycle	half-cycle
demi-intensité	half-intensity
demi-ton	semitone
démonstration	demo
départ	start
départ synchronisé	sync start
dérivation	bypass
désaccord	detune
désaccordage	detune
désaccordé	out of tune
désaccorder	detune [to]
désactiver	disable [to]
	deactivate [to]
désenclencher	turn off [to]
déséquilibré	unbalanced
désigner	indicate [to]
désynchronisé	off-beat
détection d'activité	active sensing
détermination de statut	set status

déterminer	set [to]
déverrouiller	unlock [to]
déviation	bypass
diagramme	chart
	diagram
diagramme de fonctionnement	running diagram
	working diagram
diagramme de programmation	programming flowchart
diagramme de structure	structure flowchart
diagramme de système	system flowchart
diapason	range
	pitch
	tuning fork
diaphonie	crosstalk
diminuer	decay [to]
diminution	decay
diode électroluminescente	light emitting diode
disparaître progressivement	fade [to]
disparition progressive	fade-out
	fade
disponibilité	availability
disponible	available
dispositif	device
dispositif à accès direct	random access device
dispositif à déclenchement	trigger
dispositif analogique	analog device
dispositif d'alimentation	feeding device
dispositif de commande	controlling device
dispositif de correction de synchronisation	timing correction device
dispositif intermédiaire	intermediate equipment
disposition	layout
disque	disc
disque magnétique	magnetic disc

disque souple	floppy disc
	flexible disc
disque magnétique amovible	removable magnetic disc
disquette	floppy disc
disquette double face	reversible flexible disc
distorsion	distorsion
distorsion harmonique	harmonic distorsion
diviser	divide (up) [to]
	split [to]
diviser, se -	divide (up) [to]
division	split
division du clavier	key split
doigté	fingering
donnée	datum
données	data
	information
données alphabétiques	alphabetical data
données analogiques	analog data
données ASCII	ASCII data
données auxiliaires	auxiliary data
données de fonction	function data
données d'entrée/sortie	input/output data
données de sauvegarde	backup information
données de séquence	sequence data
données de système	system data
données d'exécution	performance data
données musicales	music data
données numériques	digital data
	numerical data
	numeric data
donner un nouveau nom à	rename [to]
double	dual
double vérification	double check
douille	socket
drapeau	flag

durée	duration time
durée de note	length (note -)
durée de pas	step length
durée de portamento	portamento time
durée de réverbération	reverb time
durée de vie	life expectancy
dynamique	dynamics dynamic

E

écart	gap
échange	exchange interchange swap
échange automatique de données	automatic data exchange
échange de données	data interchange
échange de données avec protocole	handshaking
échange d'informations	information exchange
échanger	exchange [to] interchange [to] swap [to)
échantillon	sample
échantillonnage multiple	multisampling
échantillonnage PCM	PCM sampling
échantillonneur	sampling machine sampler sampling keyboard
échantillonneur-bloqueur	sample and hold
échelle	scale
échelle microtonale	microtonal scale
écho	echo
éclairer	illuminate [to]
éclairer par l'arrière	backlight [to]
écouteur	earphone
écran anti-magnétique	magnetic shield
écriture en temps réel	real-time writing

écriture par étapes	step write
écriture pas à pas	step write
éditer	edit [to]
édition	editing
	edit
édition de chaîne	chain edit
édition de données	data editing
édition en temps réel	real-time editing
édition numérique	digital editing
effacement	blanking
	clear
	cleaning
	erase
	erasure
	erasing
effacement de canal	delete channel
effacement de chaîne	chain clear
effacement (de) mémoire	memory cleaning
	memory erasure
effacement global	master clear
	bulk erasing
effacer	delete [to]
	dump [to]
	clear [to]
	clean [to]
	erase [to]
	wipe out [to]
effectuer	perform [to]
effet	effect
effet d'allongement	lingering effect
effet d'écho	echo effect
effet de choeur	chorus
effet de couplage	coupler-type effect
effet de décalage de phase	phase shifting effect
effet de déphasage	phasing-type effect

effet de glissement	slide effect
	glide effect
effet de panoramique	panning effect
effet de retard	delay effect
effet de variation de hauteur	pitch bend effect
effet d'exécution	performance effect
effet en temps réel	real-time effect
effet sonore	sound effect
effleurement, à -	touch-sensitive
égaliseur	equalizer
électricité	power
électronique	electronic
élément	unit
élément additionnel	add-on unit
élément d'indication	indicating element
élément enfichable	plug-in unit
élément supplémentaire	add-on unit
élément universel	universal element
éliminer (par filtrage)	filter out [to]
émettre	send [to]
émission	send
emplacement	location
enchaînement	chain
enclencher	turn on [to]
enfichable	pluggable
	plugging
enfoncement de la touche	key on
enfoncer	press [to]
engorgement	overrun
enregistrable	recordable
enregistrement	recording
	record
enregistrement à x pistes	x-track recording
enregistrement de données	data record
enregistrement en temps réel	real-time recording
enregistrement magnétique	magnetic recording

enregistrement multicanal	multichannel recording
enregistrement par mélange	mix recording
enregistrement par surimpression	overdub recording
enregistrement pas à pas	step recording
enregistrement sonore	audio recording
enregistrer	enter [to]
	record [to]
enregistrer (sur bande)	tape [to]
enregistreur	recorder
enregistreur à bande	tape deck
enregistreur à cassettes	cassette recorder
enregistreur de données à cassette(s)	data cassette recorder
enregistreur de séquences	sequence recorder
enregistreur MIDI	MIDI recorder
enregistreur numérique	digital recorder
ensemble	bulk
	set
ensemble de données	data set
ensemble de touches	keypad
entrée	input
entrée analogique	analog input
entrée asymétrique	unbalanced input
entrée audio	audio in
	audio input
entrée de données	data entry
entrée de ligne	line input
entrée MIDI	MIDI in
entrée mono	mono input
entrée numérique	digital input
	numerical input
entrée/sortie parallèle	parallel input/output
entrée stéréo	stereo input
entrée symétrique	balanced input
entrer	enter [to]

enveloppe	cabinet
	envelope
enveloppe de timbre	timbre envelope
enveloppe de volume	volume envelope
envoyer	send [to]
équilibré	balanced
équilibrer	balance [to]
équipé de l'interface MIDI	MIDI equipped
équipement	equipment
équipement acoustique	audio equipment
équipement à haute performance	high performance equipment
équipement annexe	accessory equipment
	accessory unit
équipement destinataire	destination equipment
équipement MIDI	MIDI equipment
ergonomique	ergonomic
erreur	error
erreur à l'écriture	write error
erreur d'amplitude	amplitude error
erreur de câblage	wiring error
erreur de chargement	loading error
erreur de communication	communication error
erreur de fonctionnement	operation error
erreur de lecture	misread
	reading error
	read error
erreur de programmation	programming error
erreur de synchronisation	clock error
erreur d'introduction	input error
erroné	invalid
	illegal
espace mémoire	memory space
essai	test
essai de réception	acceptance test
étalonnage	scaling

étape	step
état	status
état d'attente	waiting state
état initial	initial state
éteindre	switch off [to]
	turn off [to]
éteindre, s'-	die down [to]
	die away [to]
	go out [to]
éteint	out
étendu	extended
étendue	range
étendue de clavier	keyboard range
étouffer	damp [to]
étui	case
étui de transport	carrying case
étui souple	soft case
évaluation	assessment
évanouir, s'-	fade [to]
évanouissement	fade-out
	fade
événement	event
exact	accurate
exactitude	accuracy
exécuter	play [to]
	perform [to]
exécution	run
	performance
	playback
	play
exécution automatique	automatic playback
exécution de travaux	job execution
exécution manuelle	manual playing
exécution monophonique	monophonic play
exécution pas à pas	step-by-step operation
exécution polyphonique	polyphonic play

exécution synchrone	synchronous execution
exécution synchronisée	synchronized playback
exempt de bruit de fond	noiseless
expandeur	expander
exploitation	job
exponentiel	exponential
expression	expression
extensible	upgradable
extension (de) mémoire	memory expansion add-on memory
externe	external
extraire	read out [to]

F

face arrière	rear panel
face avant	front panel
facile d'emploi	easy-to-operate
	user-friendly
facteur aléatoire	random factor
faible	low
faire défiler	scroll through [to]
	scroll [to]
faire fonctionner	operate [to]
faire marcher	operate [to]
faire tourner	rotate [to]
fenêtre	window
fenêtre d'affichage	display window
fente	slot
fente d'insertion de disque	disc slot
fermer	switch off [to]
	turn off [to]
fiabilité	reliability
fiche	plug
fiche à x broches	x-pin plug
fiche DIN	DIN plug
fichier	file
fil blindé	shielded wire
fil (électrique)	wire
filtrage numérique	digital filtering
filtre	filter
filtre analogique	analog filter
filtre à variation temporelle	time variant filter

filtre contrôlé par tension	voltage controlled filter
filtre d'entrée	input filter
filtre de touche	key filter
filtre dynamique numérique	digital dynamic filter
filtre numérique	digital filter
filtre numérique variable	variable digital filter
filtre passe-bande	bandpass filter
filtre passe-baslow	pass filter
filtre passe-haut	high pass filter
filtre secteur	line filter
filtrer	filter [to]
fin, sans -	endless
finition	finish
fixation	socket
fixer	set [to]
flèche	arrow
flèche de défilement	scroll arrow
flèche horizontale	horizontal arrow
flèche verticale	vertical arrow
flexion	bend
fonction	function
fonction, en -	on
fonction, hors -	off
fonction, mettre hors -	turn off [to]
fonction d'accord	tuning function tune function
fonction de recherche	locate function
fonction directe	direct function
fonction intrinsèque	built-in function
fonction supplémentaire	additional function
fonction utilitaire	utility function
fonctionnement	job operation
fonctionner	operate [to] work [to]
fonctionner, faire -	operate [to]

fonctions multiples, à -	multifunction
fondamentale	fundamental
	root
fondu à la fermeture	fade-out
fondu à l'ouverture	fade-in
fondu enchaîné	crossfade
fondu (sonore)	fade
force	loudness
force de frappe	key touch force
format	format
formatage	formatting
formatage de cartouche	cartridge format
formater	format [to]
forme	shape
forme d'onde	waveshape
	waveform
forme d'onde non sinusoïdale	non-sinewave waveform
forme d'onde PCM	PCM waveform
fort	loud
fractionnaire	fractional
frappe	key depression
frapper	strike [to]
fréquence	frequency
fréquence de base	base frequency
fréquence d'échantillonnage	sample rate
	sampling frequency
fréquence de l'onde porteuse	carrier frequency
fréquence d'horloge	clock rate
fréquence d'oscillateur	oscillator frequency
fréquence fixe	fixed frequency
fréquence vocale	voice frequency
fusible	fuse
fusion	merge

G

gain	gain
gamme	range
	scale
gamme de fréquences	frequency range
gamme mobile	sliding scale
gamme (musicale)	gamut
gamme tempérée	equal tempered scale
générateur	generator
générateur d'arpèges	arpeggiator
générateur de bruit	noise generating device
	noise generator
générateur de courbes	curve generator
générateur de fréquences	frequency generator
générateur de fréquences numérique	digital frequency generator
générateur de modulation	modulation generator
générateur d'enveloppes	envelope generator
générateur de son	tone generator
générateur de sons PCM	PCM sound generator
générateur de vibrato	vibrato generator
générateur d'harmoniques	harmonics generator
générateur d'harmoniques numérique	digital harmonics generator
générateur d'impulsions	pulse generator
générateur d'ondes	wave generator
générateur modulaire de son FM	modular FM voice generator
génération	generation

génération de son	tone generation
génération de son FM numérique	digital FM tone generation
générer	generate [to]
gestion	management
gestion de données	data management
gestion de mémoire	memory management
glissando	glissando
glissement	bend
	glide
	slide
graduel	gradual
graphique	chart
	graph
grave	bass
graves	bass tones
	bass
grossier	coarse
groupe	bank
	group
guidage	prompt
guide	guidebook
guide de référence	reference guide
guide rythmique	rhythmic guide
guider	prompt [to]

H

harmonique	harmonic
	overtone
harmoniques	harmonics
harmonisation	harmonizing
harmonisation automatique	automatic harmonizing
automatic	harmonization
harmoniser	harmonize [to]
haute fréquence	high frequency
haute performance, à -	high performance
hauteur absolue	absolute pitch
hauteur d'ensemble	overall pitch
hauteur générale	overall pitch
hauteur standard	standard pitch
hauteur standard du clavier	standard keyboard pitch
hauteur (tonale)	pitch
haut-parleur	[loud]speaker
haut-parleur incorporé	built-in speaker
	internal speaker
hexadécimal	hex[adecimal]
horloge	clock
horloge de synchronisation	synchronization clock
	sync clock
horloge externe /interne	external/internal clock
horloge MIDI	MIDI clock
hors fonction	off
housse (de protection)	dust cover
housse de protection de clavier	keyboard mask

I

imiter	imitate [to]
impédance d'entrée	input impedance
impédance de sortie	output impedance
implémentation	implementation
implémentation MIDI	MIDI implementation
improvisation	vamp
impulsion	impulse
	pulse
impulsion de déclenchement	trigger pulse
impulsion d'entrée	input pulse
impulsion de sortie	output pulse
impulsion numérique	digital impulse
inactif	dead
inapproprié	illegal
incident	fault
	failure
incorporé	built-in
	on-board
incorporer	house [to]
incorrect	incorrect
	inaccurate
incrément	increment
incrémenter	increment [to]
indicateur	indicator
indicateur d'arrêt	halt indicator
indicateur de contrôle	check indicator
indicateur de mesure	beat indicator
indicateur d'entrée/sortie	input/output indicator

indicateur de saturation	overflow indicator
indicateur d'interruption	interrupt indicator
indication	prompt
indication de la mesure	time signature
indication optique	visual indication
indiquer	indicatc [to]
	read [to]
	prompt [to]
	show [to]
inexact	inaccurate
infini, à l'-	endless
information	information
informatisé	computerized
infrason	infrasound
initial	original
initialisation	initialization
initialisation de la mémoire	initialize memory
initialisation du tampon d'édition	edit buffer initialization
initialiser	initialize
inopérant	inoperative
inscrire	enter [to]
insérer	insert [to]
insertion	insert
	insertion
	punch-in
insertion de mesures	measure insert
installation	installation
	setup
	setting up
instruction	command
	statement
	instruction
instruction d'affectation	assignment statement
instruction d'exécution	execute statement
	execute order

instruction erronée	illegal instruction
instruction pas à pas	step-by-step instruction
instrument de musique électronique	electronic musical instrument
instrument de musique numérique	digital music instrument
instrument MIDI	MIDI instrument
instrumental	instrumental
intégré	built-in
intelligence mélodique	melody intelligence
intensité	depth
	intensity
	loudness
	amount
interconnectable	interfaceable
interconnecter	intercouple [to]
interconnexion	interconnection
interface	interface
interface cassette	cassette interface
	tape interface
interface de communication	transmission interface
	data adapter unit
interface de périphérique	device adapter interface
interface numérique pour instruments de musique	musical instrument digital interface
interface pour disque dur	hard disk interface
interface universelle	general-purpose interface
interférence électrique	electrical interference
interne	internal
interpolation différentielle	differential interpolation
interrompre	break [to]
	halt [to]
	interrupt [to]
	stop [to]
interrupteur	cutoff switch
interrupteur au pied	footswitch

interrupteur d'alimentation	power on/off switch
	power switch
interrupteur général	on/off switch
	power on/off switch
	power switch
interruption	break
	interrupt
	interruption
	switch
	stop
interruption automatique	automatic interrupt
intervalle	gap
	interval
introduction	introduction
introduire	input [to]
	enter [to]
	slide in [to]
isolation	insulation

jouer	play [to]

kilobaud	kilobaud
kilo-octet	kilobyte

L

lampe fluorescente	fluorescent lamp
lampe témoin	display light
	pilot light
	pilot lamp
langage musical	musical language
largeur de bande	bandwidth
largeur de bande nominale	nominal bandwidth
lecteur	drive
lecteur de cartouche(s)	tape cartridge drive
lecteur de cassette(s)	cassette player
lecteur de disque(s)	disc drive
lecteur de disque(s) souple(s)	floppy disc drive
lecture	play
	playback
lecture automatique	automatic playback
lecture de banque	bank play
lecture de chaîne	chain play
lecture répétitive	repeat
levier	lever
levier de modulation	modulation lever
liaison	link
	patch
	tie
liaison en cascade	cascade connection
libre	available
lien	link
lier	link [to]
	tie [to]

ligne, en -	on-hook on-line
ligne de retard numérique	digital delay line
linéaire	linear
localisateur	locator
localisation automatique	autolocate
localisation de panne	troubleshooting
localiser	locate [to]
loger	house [to]
luminosité	brilliance brightness

M

magnétophone à cassette(s)	cassette recorder
maintenir	hold [to]
maintenir enfoncé	hold down [to]
maintien	hold
maintien de données	data backup
malette	case
malette de transport	carrying case
malette rigide	hard case
malette souple	soft case
manche à balai	joystick
manette	joystick
	lever
manier	handle [to]
manière séquencielle, de -	sequencially
manipulation	handling
manipuler	handle [to]
manuel	manual
manuel de l'utilisateur	owner's manual
	user's guide
manuel de référence	operation directory
	owner's manual
	reference manual
manuel d'installation	installation manual
manuel d'instruction	instruction manual
manuel d'utilisation	owner's manual
manuel technique	technical manual
marche, mettre en -	start [to]
	turn on [to]

marcher	operate [to]
marcher, faire -	operate [to]
marque	mark
marquer	read [to]
masse	bulk
masse, mettre à la -	sink to ground [to]
masse de données	bulk information
	bulk data
	data amount
matériel	equipment
	hardware
matériel auxiliaire	auxiliary equipment
matériel de base	basic material
matériel de faible performance	low performance equipment
mauvais fonctionnement	malfunction
mécanisme d'entraînement de disque	disc storage drive
mécanisme de verrouillage	locking mechanism
mel	mel
mélange	blend
	merge
mélange polyphonique	poly mix
mélangeur	audio mixer
	mixing console
	mixer
mélangeur équilibré	balanced mixer
mélodie	melody
mélodique	melodic
MEM	read-only memory
mémoire	store
	memory
mémoire à accès direct	direct access storage
	random access memory
	immediate access storage

mémoire à accès rapide	fast access memory quick access memory fast access storage
mémoire à bande(s) magnétique(s)	tape memory
mémoire à carte(s) magnétique(s)	magnetic card storage
mémoire additionnelle	additional memory
mémoire à disque(s)	disc storage disc store disc memory
mémoire à disque(s) magnétique(s)	magnetic disc storage
mémoire à disque(s) souple(s)	flexible disc memory
mémoire auxiliaire	auxiliary storage extension store auxiliary memory backing store backup store
mémoire de destination	destination memory
mémoire d'effets	effect memory
mémoire de grande capacité	bulk storage bulk store mass store mass storage
mémoire de masse	bulk storage mass store mass storage bulk store bank memory
mémoire de morceaux	song memory
mémoire de sauvegarde	backing store
mémoire d'exécution	performance memory
mémoire disponible	available memory
mémoire effaçable	erasable store erasable storage

mémoire externe	auxiliary store
	external storage
	external memory
mémoire fixe	fixed store
mémoire ineffaçable	non-erasable memory
	non-erasable storage
mémoire interne	internal storage
	internal memory
mémoire lente	slow access storage
mémoire morte	fixed store
	read-only memory
mémoire préprogrammée	preset memory
	preset ROM
mémoire tampon	buffer
	buffer memory
	buffer store
mémoire tampon temporaire	temporary buffer memory
mémoire utilitaire	utility memory
mémoire vive	random access memory
mémorisation	storage
mémorisation complète	store all
mémorisation de données	data storage
mémorisation de données de son	storing voice data
mémorisation de son	store voice
mémoriser	memorize [to]
	store [to]
message	prompt
message d'erreur	error message
mesure	bar
	time
méthode	approach
	process
	method
méthode d'accès	access method
méthode de programmation	programming method

métronome	metronome
mettre à la masse	sink to ground [to]
mettre en marche	start [to]
	turn on [to]
mettre hors circuit	turn off [to]
mettre hors fonction	turn off [to]
mettre hors tension	switch off [to]
mettre sous tension	turn on [to]
	switch on [to]
micro-accordage	micro tuning
	micro tune
microseconde	microsecond
microtonal	microtonal
MIDI	MIDI [equipped]
midifier	MIDI [to]
milliseconde	millisecond
mini-prise	mini jack
minidisquette	mini floppy [disc]
mise à la terre	grounding
mise au point	tuning
mise en fonction d'opérateur	operator enable
mise en marche	start
mise en route	startup
mise en service	enabling
mise hors fonction d'opérateur	operator disable
mise hors service	disabling
mise hors tension	power-down
mise sous tension	power-on
	power-up
mixage de piste	strack mix
mixage de sons	sound mix
mixage sonore	sound mix
mode	mode
mode d'accès	access mode
mode d'accès à la mémoire	memory access mode

mode de base	basic mode
mode de maintien	retain mode
mode de modification	alter mode
mode d'emploi	operation manual
	owner's manual
mode de suivi	follow mode
mode secondaire	sub-mode
modèle	pattern
modifiable	alterable
modificateur	modifier
modificateur de données	data modifier
modification	alteration
	alter operation
	modify
modification de commande	control change
modification de volume	volume change
modifier	alter [to]
	modify [to]
modifier, se -	vary [to]
modulateur	modulator
modulateur en anneau	ring modulator
modulation	modulation
modulation analogique	analog modulation
modulation automatique	autobend
modulation d'amplitude	amplitude modulation
modulation de fréquence	frequency modulation
modulation de hauteur	pitch modulation
modulation de timbre	timbre modulation
modulation différentielle en boucle	differential loop modulation
modulation numérique	digital modulation
modulation par impulsions	pulse modulation
modulation par impulsions codées	pulse code modulation
module	module
module d'échantillonnage	sampler module

module électronique	electronic module
module sonore	sound module
moduler	modulate [to]
molette	lever wheel
molette de hauteur	bender
molette de modulation	modulation wheel
molette de variation de hauteur	pitch bender pitch wheel pitch bend wheel
monaural	monaural monophonic
mono	mono
monophonie	monophony
monophonique	monophonic monaural
montée de courbe	curve slope
monter	house [to]
morceau	song
morceau de démonstration	demo song
mordant	bite
motif	pattern
motif d'accompagnement	accompaniment pattern
motif rythmique	rhythm pattern
moyenne	average
multicanal	multichannel
multifonction	multifunction
multipiste	multitrack
multitimbral	multitimbral
multivoix	multivoice
musique électronique	electronic music

N

nécessaire de nettoyage	cleaning kit
nécessaire de réparation	repair kit
niveau	level
niveau de bruit	noise level
niveau de bruit d'un circuit	circuit noise level
niveau de contrôle au casque	headphones monitoring level
niveau d'écoute	listening level
niveau de déclenchement	trigger level
niveau de décroissance	decay level
niveau d'ensemble	total level
niveau d'entrée	input level
niveau de polarisation	bias level
niveau de pondération du clavier	keyboard scaling level
niveau de puissance	power level
niveau de quantification	quantize level
niveau d'équilibre	balance level
niveau de référence	reference level
niveau de retard	delay level
niveau de rétroaction	feedback level
niveau de réverbération	reverb level
niveau de sortie	output level
niveau de sortie d'opérateur	operator out(put) level
niveau de sortie moyen	average output
niveau de sortie nominal	rated output level
niveau d'intensité	intensity level
niveau général	total level

niveau neutre	flat level
nom de combinaison d'exécution	performance name
nombre binaire	binary number
nombre de base	base number
nombre décimal	decimal number
nombre hexadécimal	hexadecimal number
non chargé	unloaded
non connecté	off-line stand-alone
non synchronisé	off-beat
non valable	invalid
normalisation	standardization
normaliser	normalize standardize [to]
notation binaire	binary notation
notation décimale	decimal notation
notation hexadécimale	hex hexadecimal notation
notation musicale	music notation
note	note
note basse	low note
note fractionnaire	fractional note
note grave	low range note
note haute	high range note high note
note impaire	odd note
note paire	even note
notice de fonctionnement	instruction booklet
nuance	nuance
numérique	digital numerical numeric
numériquement	digitally
numéro de touche	key number

O

octet	byte
oeuvre pour synthétiseur	synthe-work
onde	wave
- carrée	square -
- d'impulsion	pulse -
- en dent de scie	sawtooth -
- sinusoïdale	sine -
onde PCM	PCM wave
onde porteuse	carrier carrier wave
onde sinusoïdale	sine wave
ondulateur	vibrator
opérateur	operator
opérateur de modulation	modulating operator
opérateur source	source operator
opération	operation
opération à un seul pas	one-step operation
opération auxiliaire	auxiliary operation
opération de base	basic operation
opération de chargement	loading operation
opération d'écriture	write action
opération d'effacement	clear operation
opération de sauvegarde	save operation
opération erronée	incorrect operation
opération irréversible	irreversible operation
opération manuelle	hand operation
opérationnel	operable
option, en -	optional

optionnel	optional
orchestration	orchestration
ordinateur	computer
ordinateur incorporé	built-in computer
ordinateur interne	built-in computer
ordinateur musical	music computer
ordre	command instruction
organe	device unit
organe périphérique	peripheral device peripheral equipment
organigramme	flowchart
oscillateur à commande numérique	digital controlled oscillator
oscillateur basse fréquence	low frequency oscillator
oscillateur contrôlé par tension	voltage controlled oscillator
oscillation	oscillation
ouverture	slot
ouverture arrière	backplane slot
ouvrir	turn on [to]

P

panne	fault
	failure
	malfunction
panne d'équipement	equipment failure
panneau	board
	control panel
panneau avant	front panel
panneau de commande	top panel
panneau frontal	front panel
panneau mobile	slide panel
panneau supérieur	top panel
panoramique	panning
panoramique stéréo	stereo panning
paramètre	parameter
	patch
paramètre d'édition	edit paramenter
paramètre de fonction	function parameter
paramètre de vitesse	rate parameter
paramètre d'exécution	performance parameter
parcourir	scroll through [to]
	step through [to]
partage	split
partage du clavier en x sections	x-way keyboard split
partager	divide (up) [to]
	split [to]
partie inférieure d'un clavier	lower
partie supérieure d'un clavier	upper

partiel	partial
partir de rien	start from scratch [to]
partir de zéro	start from scratch [to]
partition	score
pas	step
passer en revue	go through [to]
	review [to]
	scroll through [to]
	step through [to]
patron	pattern
pause	break
	pause
pavé numérique	numeric pad
pédale	pedal
pédale de commande	foot controller
	foot control
pédale de portamento	portamento pedal
	portamento footswitch
pédale de soutenu	sustain pedal
	sustain footswitch
pédale d'expression	expression pedal
pente	slope
pente de filtre	filter slope
performant	high performance
périphérique	device
	external device
	peripheral
périphérique à accès séquentiel	direct access device
permuter	swap [to]
perte	loss
perte accidentelle	accidental loss
peu précis	inaccurate
phonique	acoustical
	acoustic
phrase	phrasing

piano électronique	electronic piano
pile	battery
	stack
pile FM	FM stack
pile sèche	dry battery
piste magnétique	magnetic track
plage	range
plage de réglage de la commande de souffle	breath controller range
plage de réglage de la molette de modulation	modulation wheel range
plage de réglage de la molette de variation de hauteur	pitch wheel range
plage de réglage de la pédale de commande	foot controller range
plan de câblage	wiring diagram
plaque d'identification	name plate
plaque signalétique	name plate
platine à cassette(s)	cassette deck
pleurage	wow
point clignotant	flashing dot
point d'amortissement	damp point
point d'arrêt	break point
point de changement	break point
point de contact	point of contact
point de coupure	break point
point de départ	initial point
point de destination de copie	copy destination point
point de partage	split point
point de partage du clavier	keyboard split point
point de polarisation	bias point
point d'insertion	punch point
point d'origine	initial point
polarisation	bias
polarisation fixe	fixed bias
polarité	polarity

polyphonie	polyphony
	simultaneous note output
	simultaneous note capacity
polyphonie à x notes	x-note polyphony
polyphonique	polyphonic
polyphonique à x notes	x-note polyphonic
polyvalent	multipurpose
pondération	weighting
pondération de clavier	keyboard scaling
pondéré	weighted
port	port
port d'entrée	input port
port de sortie	output port
portamento	portamento
portamento permanent	full time portamento
porte-partition	music stand
	music rest
	music rack
	score holder
	score stand
portée	range
portée mélodique	melody range
porteur	carrier
pose de repère	set mark
position à cran	click-stop position
position de repos	home position
	homing position
position initiale	home location
	home position
positionnement de départ	initial positioning
possibilité	facility
possibilité d'effacement	erasability
possibilité de maintien	hold facility
possibilité de surimpression	overdubbing
possibilité d'extension	add-on facility
	growth capability

possibilité d'cxtension mémoire	memory expansion capacity
possibilités d'exécution	playability
potentiomètre	pot
	potentiometer
potentiomètre à glissière	cursor
	slide control
	slider
	slider control
potentiomètre de panoramique	pan-pot
poussoir lumineux	light switch
précis	accurate
précision	accuracy
prémélangeur	sub-mixer
premier	original
préprogrammé	factory preset
	preprogrammed
prérégler	preset [to]
présélecteur	presetter
présélecteur de données	data presetter
présélectionner	preset [to]
presser	press [to]
pression	pressure
pression après enfoncement	aftertouch
pression polyphonique	polyphonic pressure
pression sur une touche	key depression
priorité inverse	reverse priority
prise	jack
	socket
prise casque	headphones socket
prise d'alimentation secteur	AC socket
prise de cordon secteur	AC power cord receptacle
prise de courant	AC outlet
prise d'entrée	input socket
prise de sortie	output socket

prise DIN	DIN jack
prise MIDI	MIDI socket
prise (pour) casque (d'écoute)	phones jack
prise secteur	AC power outlet
prise secteur murale	AC mains socket wall socket
prise XLR	XLR jack
procédé	process
procédure	procedure
procédure d'abandon	aborting procedure
procédure de dérivation	bypass procedure
procédure d'édition	editing procedure
procédure de programmation	programming procedure
processeur	processor
processeur de retard	delay processor
processeur de signaux MIDI	MIDI event processor
processus	process
programmable	alterable programmable
programmable par l'utilisateur	user-programmable
programmateur	programmer
programmateur de rythmes	rhythm programmer rhythm composer rhythm machine
programmateur de rythmes numériques	digital rhythm programmer
programmation	programming
programme	programme
programme de composition musicale	music composer programme
programme de démonstration	demo programme
programmé à l'avance	preprogrammed
programmé en usine	factory programmed factory preset

programmer	programme [to]
programmer à partir de rien/zéro	programme from scratch [to]
progressif	gradual
proportionnel	proportional
protection	protect
protection à l'écriture	write-protect
protection de données	data protection
protection (de) mémoire	memory protect
	memory protection
protection en écriture mémoire	protect memory write
protection par pile(s)	battery backup
protégé en écriture	write-protected
protéger	protect [to]
protocole de transfert	handshake
puce	chip
puissance	loudness
	power
puissance requise	power requirement
pupitre à musique	music rest
	music stand
	music rack
	score holder
	score stand
pupitre de commande	control panel

Q

qualité sonore	sound quality
quantification	quantize
	quantization
	quantizing
quantifier	quantize [to]
	quantify [to]
quantité	amount
quitter	exit [to]
	quit [to]

R

raccordement	connection hook-up
raccorder	connect [to]
rallonge de câble	extension cable
rappel du dernier son édité	edit recall
rappel du tampon d'édition	recall edit buffer
rappeler	recall [to]
rapport	ratio
rapport de fréquence	frequency ratio
rapport fractionnaire	fractional ratio
réagir	respond [to]
recadrage	reframe
réception	accepting reception
rechargement	reload reloading
recharger	reload [to]
recherche	retrieval search sending
recherche de notes	note search
recherche de son préprogrammé	preset search
rechercher	search [to]
recommencer	resume [to]
récupération	retrieval
réduire	shorten [to]
réécouter	play back [to]

régénération de signal	signal regeneration
régénération d'impulsions	pulse regeneration
registre	range
registre grave	depth
réglable	adjustable
réglage	adjustment
	setting
	tuning
	control
réglage d'usine	factory setting
réglage fin	fine setting
	fine adjustment
réglage grossier	coarse setting
	coarse adjustment
réglage médian	dead center
réglage par défaut	default setting
régler	adjust [to]
	regulate [to]
	readjust [to]
	set [to]
	tune [to]
régler à l'avance	preset [to]
régulariser	normalize [to]
régulateur	regulator
régulateur de tension	voltage regulator
réinitialisation	reinitialization
	reset
	resetting
réinitialiser	reinitialize [to]
	reset [to]
relâchement	release
relâchement de la touche	key off
relâcher	release [to]
relier	patch [to]
remettre à l'état initial	reset [to]
remettre à zéro	reset [to]

remise à l'état initial	resetting
	reset
remise à zéro	clear
	resetting
remplissage	filling
repasser	play back [to]
repère	pointer
	mark
repère de comparaison	compare mark
repère de fin	end mark
repère de position de morceau	song position pointer
repère de recherche	search mark
répertoire	directory
répertoire de chaînes	chain directory
répéter	repeat [to]
répétition	repeat
répétition sans fin	endless repeat
répondre	respond [to]
réponse	response
réponse à la pression après enfoncement	aftertouch response
réponse du clavier	keyboard response
réponse en fréquences	frequency response
réponse neutre	flat response
réponse sensitive	touch response
réponse sensitive, à -	touch-sensitive
reprendre	repeat [to]
	resume [to]
reprise	continue
	restart
	repeat
reproduction	duplication
	play
	playback

reproduction	trigger play
- par déclenchement audio	audio trigger play
reproduction rapide	quick playback
reproduire	play back [to]
réseau	net[work]
réseau électrique	household AC current
réserve, de -	backup
résistance	resistance
résolution	resolution
résolution d'affichage	display resolution
résolution de notes	note resolution
résonance	resonance
résonner	resonate [to]
rétablir	restore [to]
retard	delay
	lag
retard stéréo	stereo delay
retour en position initiale	homing
retourner	revert [to]
rétroaction	feedback
rétroaction convergente	negative feedback
rétroéclairer	backlight [to]
revendeur	dealer
revenir	revert [to]
réverbération	reverb[eration]
réverbération numérique	digital reverb
ronflement	hum
ronflement, sans -	hum-free
ronronnement	hum
roue	wheel
rudesse	grittiness
rupture	break
rythme	rhythm
	swing
rythme automatique	automatic rhythm
rythme de batterie	drum rhythm

S

sac de transport	carrying bag
saturation	overflow
sauvegarde	save
sauvegarde, de -	backup
sauvegarde de données	data saving
sauvegarde de programme	programme backup
sauvegarde sur cartouche	cartridge save save to cartridge
sauvegarde sur cassette	cassette save
sauvegarde temporaire d'opérateur	save temporary operator
sauvegarder	save [to]
schéma	diagram
schéma de connexions	plugging chart plugboard chart connection diagram
schéma de fonctionnement	system diagram
schéma de montage	setup diagram
schéma fonctionnel	block diagram functional diagram
scruter	scan [to]
secours, de -	backup
secteur	sector
secteur alternatif	AC mains
sélecteur	selector
sélecteur de canal	channel switch
sélecteur de tension	voltage adapter switch voltage selector

sélecteur de travail	job selector
sélecteur manuel	dial
sélection	selection
sélection de générateur d'enveloppes	EG select
sélection de source	source select
sélection directe	direct select
sélection d'opérateur	operator select
sélection indirecte	indirect select
sélection par cadran numérique	dial switching
sélectionner	select [to]
sensibilité	sensitivity
sensibilité à la modulation d'amplitude	amplitude modulation sensitivity
sensibilité à la pression après enfoncement	aftertouch sensitivity
sensibilité à la pression polyphonique	polyphonic pressure sensitivity
sensibilité à la vélocité de relâchement	release velocity sensitivity
sensibilité de la commande de souffle	breath controller sensitivity
sensibilité de la molette de modulation	modulation wheel sensitivity
sensibilité de la pédale de commande	foot controller sensitivity
sensible	sensitive
sensible à la modulation d'amplitude	amplitude modulation sensitive
sensible à la pression	pressure sensitive
sensible à la pression après enfoncement	aftertouch sensitive
sensible à la pression polyphonique	polyphonic pressure sensitive
sensible à la vélocité de frappe	velocity sensitive

sensible à la vélocité de relâchement	release velocity sensitive
séparation	split
séparer	divide (up) [to]
	split [to]
séquence	sequcnce
séquence de batterie	drum sequence
séquence mélodique	melodic sequence
séquence numérique	digital sequence
séquencement	sequencing
séquences, en -	sequentially
séquenceur	sequencer
séquenceur multipiste	multitrack sequencer
seuil	threshold
seuil d'échantillonnage	sampling threshold
seul	single
signal	signal
signal analogique	analog signal
signal à niveau élevé	high level signal
signal de base	basic signal
signal de commande	actuating signal
	control signal
signal de modulation	modulating signal
signal d'entrée /de sortie	input/output signal
signal d'essai MIDI	MIDI test signal
signal de synchronisation	synchronization signal
	timing signal
signal d'horloge	clock signal
signal optique	visual signal
signal porteur	carrier signal
signal sonore	sound signal
	aural signal
signal sonore bref	beep sound
signaler	indicate [to]
signe alphanumérique	alphanumeric character
silencieux	noiseless

simuler	simulate [to]
son	sound
- aigu	high -
	high-pitched -
- chaud	rich -
	warm -
- clair	clear -
- consistant	thick -
- creux	hollow -
- criard	piercing -
- discordant	discordant -
- distordu	muddy -
- doux	smooth -
	gentle -
	soft -
- doux	sweet -
- étouffé	muffled -
- fort	loud -
- grave	deep -
	low -[pitched]
- grinçant	squeaky -
- harmonieux	harmonious -
- lourd	bottom-heavy -
- métallique	metallic -
- moelleux	mellow -
- mordant	punchy -
- perçant	sharp -
- percutant	percussive -
- puissant	powerful -
- réaliste	realistic -
- riche	rich -
	fat -
- rude	gritty -
- sourd	muted -
- ténu	reedy -
- terne	dull -

son à attaque lente	slow attack sound
son atonal	pitchless sound
son discordant	jar
son fondamental	fundamental
son initial	initial voice
son préprogrammé	preset voice
son sur son	sound on sound
sonique	sonic
sonore	acoustical
	aural
	acoustic
sonorité	tone
sonothèque	sound library
sons graves	bass tones
sortie	output
sortie asymétrique	unbalanced output
sortie audio	audio out
	audio output
sortie casque	headphones output
sortie de ligne	line out
	line output
sortie de notes	note output
sortie MIDI	MIDI out
sortie MIDI directe	MIDI thru
sortie mono	mono output
sortie mono/stéréo	mono/stereo output
sortie nominale	rated output
sortie simultanée de notes	simultaneous note output
sortie stéréo	stereo output
	stereo out
sortie symétrique	balanced output
sortir	read out [to]
souffle	breath
souplesse	flexibility
source d'alimentation	AC power supply
source sonore	sound source

sourdine	mute
souris	mouse
sous tension	on
sous-mode	sub-mode
sous-statut	substatus
sous-travail	subjob
soutenu	sustain
spectre	spectrum
spectre d'harmoniques	spectrum of harmonics
spectre harmonique	harmonic spectrum
stabilité	stability
standardisation	standardization
standardiser	standardize [to]
stéréo	stereo
stéréophonie	stereophony
stéréophonique	stereophonic
stop	stop
stopper	halt [to] stop [to]
structure	structure
structure harmonique	harmonic structure
suite d'accords	chord progression
suite de notes	note progression
suite harmonique	harmonic progression
suivant	subsequent
suivi de touche	key follow
supplémentaire	additional
support de clavier	keyboard stand
support de mémoire	storage medium
support de montage	mounting holder
support magnétique	magnetic support
suppression	punch-out
surcharge	overload
surimpression	overwriting overwrite overdub[bing]

surtension	voltage spike voltage surge
synchrone	synchronous synchronisation clocking sync synchronization timing
synchronisation de bande	tape synchronize
synchronisation d'horloge	clock synchronize
synchronisation sur touche	key sync
synchroniser	sync [to] synchronize [to]
synthé	synth
synthèse	synthesis
synthèse adaptative structurée	structured adaptive synthesis
synthèse additive	additive synthesis
synthèse arithmétique linéaire	linear arithmetic synthesis
synthèse de la parole	speech synthesis
synthèse FM	FM synthesis
synthèse sonore	sound synthesis
synthèse soustractive	substractive synthesis
synthèse vectorielle	vector synthesis
synthèse vocale	speech synthesis
synthétiseur	synthesizer
synthétiseur analogique	analog synthesizer
synthétiseur de guitare	guitar synthesizer
synthétiseur de parole	speech synthesizer
synthétiseur de son	sound synthesizer
synthétiseur linéaire	linear synthesizer
synthétiseur modulaire	modular synthesizer
synthétiseur numérique à algorithmes programmables	digital programmable algorithm synthesizer
synthétiseur sonore	sound synthesizer
synthétiseur vocal	speech synthesizer

système	system
système à cassette(s)	tape cassette drive system
système alimenté par pile(s)	battery system
système à pile(s)	battery system
système à plusieurs générateurs de son	multiple tone generator system
système audio	audio system
système binaire	binary system
système d'amplification	amplification system
système décimal	decimal system
système de commande	control system
système de contrôle	monitor system
système de maintien alimenté par pile(s)	backup battery system
système de régulation automatique	automatic control system
système de transmission de données	data communication system
système exclusif	system exclusive
système hexadécimal	hexadecimal system
système numérique	digital system
système ouvert	open system

T

table de fonctions	function table
table de mixage	audio mixer
	mixer
	mixing console
tableau	chart
tableau de connexions	jack panel
	pinboard
	wiring board
tablette de numérisation	digitizer tablet
tampon	buffer
tampon d'édition	edit buffer
tampon d'édition de fonction	function edit buffer
tampon de réception	receive buffer
tampon de transmission	transmit buffer
tampon temporaire	temporary buffer
tapoter	tap [to]
taux	amount
	rate
	depth
taux de désaccordage	detune depth
taux de modulation	modulation rate
	modulation depth
taux de modulation d'amplitude	amplitude modulation depth
taux de modulation de hauteur	pitch modulation depth
taux de pondération du clavier	keyboard scaling rate

technologie	technology
technologie de pointe	advanced technology
technologie électronique	electronic technology
télécommande	remote controller
	remote control
témoin	indicator
	light emitting diode
témoin d'alimentation	power indicator lamp
	power indicator
témoin de mise sous tension	power indicator
	power indicator lamp
température	temperature
température ambiante	ambient temperature
tempo	tempo
tempo d'enregistrement	recording tempo
tempo par défaut	default tempo
temporaire	temporary
temps	beat
	time
temps d'attente	waiting time
	stand-by time
temps de décroissance	decay time
temps d'échantillonnage	sampling time
temps de maintien	hold time
temps de montée	rise time
temps de réponse	response time
temps de retombée	fall time
temps de sauvegarde	backup time
temps d'exécution	execution time
temps fort	downbeat
temps frappé	downbeat
temps moyen d'accès	average access time
temps par minute	beats per minute
temps réel	real-time
tension	voltage
tension, hors-	off

tension, mettre hors -	turn off [to]
	switch off [to]
tension, mettre sous -	turn on [to]
	switch on [to]
tension, sous -	on
tension de sortie	output voltage
tension secteur	AC voltage
tenue	sustain
tessiture	range
test	test
test de liaison	active sensing
timbre	timbre
	tone colour
ton	key
	pitch
	tone
ton absolu	absolute pitch
tonal	tonal
tonique	keynote
touche	key
touche à effleurement	touch-control
touche à fonctions multiples	multifunction key
touche alphabétique	alphabet key
touche autobloquante	locking-type button
touche d'accentuation	accent key
touche d'arrêt	stop button
touche de commande	control key
touche de contrôle	command key
touche de démonstration	demo button
touche de déplacement de curseur	cursor key
touche de déverrouillage	unlock key
touche d'édition	edit button
touche de fonction	function button
	function key
touche de liaison	tie button

touche de marche/arrêt	start/stop button
touche d'enregistrement	record button
touche de reprise	continue key
touche de sélection	select button
touche de sortie	exit button
touche d'exécution	execute button
touche d'instrument	instrument key
touche d'interruption	break key
touche d'introduction	enter key
touche d'inversion	reverse key
touche enfoncée	key on
touche inopérante	invalid key
touche multifonction	multipurpose key multifunction key
touche relâchée	key off
touche répétitrice	repeat action key
touche souple	soft key
touche tampon	soft key
toucher	touch touch [to]
tourner	rotate [to]
tourner, faire -	rotate [to]
toutes notes relâchées	all notes off
traitement	handling process
traitement de signal	signal processing
traitement numérique intégral	full digital processing
traiter	handle [to]
transfert de données	datacom
transfert de mémoire	storage dumping
transfert par établissement de liaison	handshaking
transformer	alter [to]
transition	crossfade
transitoire	glitch

transmission	communication transmission
transmission à grande vitesse	high data rate
transmission de données	data transmission transmit data
transmission en temps réel	real-time transmission
transposer	transpose [to]
transposition	transpose
transposition d'octave	octave transpose
transposition du clavier	key transpose
travail	job
travail abandonné	aborted job
travail d'accordage	tune job
travail de désaccordage	detune job
trémolo	tremolo
type de réverbération	reverb type
type enfichable, de -	pluggable

U

ultérieur	subsequent
unique	single
unisson	unison
unité	unit
unité à cartouche(s)	cartridge drive
unité auxiliaire	ancillary unit
unité de bande(s)/cartes(s) magnétique(s)	magnetic tape/card unit
unité de cassette(s)	cassette drive
unité de commande	control unit
unité de disque(s)	disc drive drive
unité de disque(s) magnétique(s)	magnetic disc unit
unité de disque(s) souple(s)	floppy disc drive
unité d'effets spéciaux	effector
unité de synthèse	synthesizer unit
unité d'extension	expander
unité d'extension FM	FM expander
usages multiples, à -	multipurpose

V

valeur	value
valeur aléatoire	random value
valeur autre que zéro	non-zero value
valeur de base	initial value
valeur de quantification	quantize value
valeur initiale	initial value
valeur par défaut	default value
valider	enable [to]
valisette	case
variation	variation
variation aléatoire de la hauteur	pitch randomize
variation de hauteur	pitch bend pitch variation
variation de hauteur maximale	pitch bend range
variation de niveau	level variation
variation de tension	power fluctuation voltage variation
variation rythmique	fill-in
varier	vary [to]
vélocité d'attaque	attack velocity
vélocité de relâchement	release velocity
vérification	checking verify verifying
vérification automatique	automatic check

vérification de pile	check battery
vérifier	test out [to]
	verify [to]
verrouillage du clavier	key lock
vibrato	vibrato
vibrato à retard	delay vibrato
vibrato par molette de modulation	modulation whell vibrato
vidage	dump[ing]
vidage après abandon	abort dump
vidage de mémoire	data dump
	memory dump
	storage dump
vidage global	bulk dump
vide	blank
vider	dump [to]
vierge	blank
visualisation graphique	graphic display
vitesse	rate
vitesse à l'attaque	attack rate
vitesse de décroissance	decay rate
vitesse de modulation	modulation speed
vitesse de relâchement	release rate
vitesse de transmission	baud rate
voie de transmission (de données)	data transmission channel
voix	voice
voltage	voltage
voltampère	volt-ampere
volume	loudness
	volume
voyant	display light
	indicating element
	light indicator
	pilot light /lamp
voyant lumineux	indicator lamp

Z

zone de mémoire storage block

Dictionnaire anglais-français

A

abort	abandon
abort [to]	abandonner
abort dump	vidage après abandon
aborted job	travail abandonné
aborting procedure	procédure d'abandon
absolute pitch	hauteur absolue ton absolu
AC adapter	adaptateur CA adaptateur secteur
AC adaptor	adaptateur CA adaptateur secteur
AC mains	secteur alternatif
AC mains cord	cordon d'alimentation
AC mains socket	prise secteur murale
AC outlet	prise de courant
AC power	alimentation secteur
AC power adapter	adaptateur CA adaptateur secteur
AC power adaptor	adaptateur CA adaptateur secteur
AC power cord receptacle	prise de cordon secteur
AC power outlet	prise secteur
AC power supply	source d'alimentation
AC socket	prise d'alimentation secteur
AC voltage	tension secteur
accent	accent
accent key	touche d'accentuation

acceptance	acceptation
acceptance test	essai de réception
accepting	réception
access	accès
access [to]	accéder
access instruction	commande d'accès
access method	méthode d'accès
access mode	mode d'accès
accessory	accessoire
accessory equipment	équipement annexe
accessory unit	équipement annexe
accidental loss	perte accidentelle
accompaniment	accompagnement
accompaniment pattern	motif d'accompagnement
accompany [to]	accompagner
accuracy	exactitude précision
accuracy control	contrôle d'exactitude
accurate	exact précis
acoustic	acoustique phonique sonore
acoustical	acoustique phonique sonore
activate [to]	activer
activate button	bouton de commande
activation	déclenchement
active sensing	détection d'activité test de liaison
actuating signal	signal de commande
actuation	commande
adaptable	adaptable
adapter	adaptateur
adaptor	adaptateur

add-on facility	possibilité d'extension
add-on memory	extension mémoire
add-on unit	élément additionnel élément supplémentaire
additional	supplémentaire
additional function	fonction supplémentaire
additional memory	mémoire additionnelle
additive synthesis	synthèse additive
address bus	bus d'adresses
adjunct	accessoire
adjust [to]	ajuster régler
adjustable	réglable
adjustment	réglage
advanced technology	technologie de pointe
aftertouch	pression après enfoncement
aftertouch assign	affectation de la pression après enfoncement
aftertouch response	réponse à la pression après enfoncement
aftertouch sensitivity	sensibilité à la pression après enfoncement
algorithm	algorithme
all notes off	toutes notes relâchées
allocate [to]	allouer
alpha dial	cadran alpha cadran de commande
alphabet code	code alphabétique
alphabet key	touche alphabétique
alphabetic	alphabétique
alphabetic code	code alphabétique
alphabetical	alphabétique
alphabetical data	données alphabétiques
alphanumeric character	signe alphanumérique
alter	mode de modification

alter [to]	changer modifier transformer
alter operation	modification
alterable	modifiable programmable
alteration	changement modification
alternating current	courant alternatif
ambient noise	bruit d'ambiance
ambient temperature	température ambiante
amount	intensité quantité taux
amplification	amplification
amplification system	système d'amplification
amplifier	ampli amplificateur
amplify [to]	amplifier
amplitude	amplitude
amplitude curve	courbe d'amplitude
amplitude equalizer	compensateur d'amplitude
amplitude error	erreur d'amplitude
amplitude modulation	modulation d'amplitude
amplitude modulation depth	taux de modulation d'amplitude
amplitude modulation sensitivity	sensibilité à la modulation d'amplitude
analog	analogique
analog circuit	circuit analogique
analog converter	convertisseur analogique
analog data	données analogiques
analog device	dispositif analogique
analog-digital	analogique-numérique
analog display	affichage analogique
analog filter	filtre analogique

analog input	entrée analogique
analog modulation	modulation analogique
analog signal	signal analogique
analog synthesizer	synthétiseur analogique
analog-to-digital converter	convertisseur analogique/numérique
ancillary	auxiliaire
ancillary unit	unité auxiliaire
apex	crête
append [to]	ajouter
approach	approche méthode
armoured cable	câble blindé
arpeggiator	arpégiateur générateur d'arpèges
arpeggio	arpège
arranger	arrangeur
arrow	flèche
ASCII data	données ASCII
assemble [to]	assembler
assessment	évaluation
assign [to]	affecter allouer assigner
assignment	affectation
assignment statement	instruction d'affectation
assisted	assisté
asymetrical	asymétrique
asynchronous	asynchrone
atonal	atonal
attachment	accessoire
attack	attaque
attack rate	vitesse à l'attaque
attack velocity	vélocité d'attaque
attenuate [to]	atténuer
attenuation	atténuation

attenuator	atténuateur
audible	audible
audio	acoustique audio
audio equipment	équipement acoustique
audio frequency	audiofréquence
audio in	entrée audio
audio input	entrée audio
audio mixer	mélangeur table de mixage
audio out	sortie audio
audio output	sortie audio
audio recording	enregistrement sonore
audio system	chaîne à haute-fidélité système audio
audio tape	bande audiofréquence bande sonore
audio trigger play	reproduction par déclenchement audio
aural	sonore
aural signal	signal sonore
auto arranger	arrangeur automatique
auto bass chord	accord de basse automatique
auto power off	coupure automatique d'alimentation
auto stop	arrêt automatique
autobend	modulation automatique
autocorrect	autocorrection correction automatique
autoload	chargement automatique
autolocate	localisation automatique
automatic	automatique
automatic accompaniment	accompagnement automatique
automatic arranger	arrangeur automatique

automatic check	vérification automatique
automatic control	commande automatique
automatic control system	système de régulation automatique
automatic correction	correction automatique
automatic cutoff	arrêt automatique
automatic data exchange	échange automatique de données
automatic harmonization	harmonisation automatique
automatic harmonizing	harmonisation automatique
automatic interrupt	interruption automatique
automatic level control	commande de niveau automatique
automatic playback	exécution automatique lecture automatique
automatic rhythm	rythme automatique
automatic stop	arrêt automatique
automatically	automatiquement
auxiliary data	données auxiliaires
auxiliary equipment	matériel auxiliaire
auxiliary memory	mémoire auxiliaire
auxiliary operation	opération auxiliaire
auxiliary storage	mémoire auxiliaire
auxiliary store	mémoire externe
auxiliary switch	commutateur secondaire
availability	disponibilité
available	disponible libre
available memory	mémoire disponible
average	moyenne
average access time	temps moyen d'accès
average output	niveau de sortie moyen
axial	axial

B

background noise	bruit de fond
backing store	mémoire auxiliaire mémoire de sauvegarde
backing tape	bande de sauvegarde
backlight [to]	éclairer par l'arrière rétroéclairer
backplane slot	ouverture arrière
backup	réserve, de - sauvegarde, de - secours, de -
backup battery system	système de maintien alimenté par pile(s)
backup copy	copie de sauvegarde copie de secours
backup information	données de sauvegarde
backup store	mémoire auxiliaire
backup time	temps de sauvegarde
balance [to]	équilibrer
balance level	niveau d'équilibre
balanced	compensé équilibré
balanced input	entrée symétrique
balanced mixer	mélangeur équilibré
balanced output	sortie symétrique
band	bande
bandpass filter	filtre passe-bande
bandwidth	largeur de bande
bank	banque groupe

bank memory	banque de mémoire
	mémoire de masse
bank play	lecture de banque
bar	mesure
base frequency	fréquence de base
base number	nombre de base
basic channel	canal de base
basic loop	boucle simple
basic material	matériel de base
basic mode	mode de base
basic noice	bruit de fond
basic operation	opération de base
basic signal	signal de base
bass	bas
	basses
	basses fréquences
	grave
	graves
bass chord	accord de basse
bass tones	graves
	sons graves
battery	batterie
	pile
battery backup	protection par pile(s)
battery power supply	alimentation par pile(s)
battery powered	alimenté par pile(s)
battery system	système à pile(s)
	système alimenté par pile(s)
baud	baud
baud rate	vitesse de transmission
beat	battement
	temps
beat indicator	indicateur de mesure
beat time [to]	battre la mesure

beats per minute	temps par minute
beep sound	bip sonore
	signal sonore bref
bend	courbure
	flexion
	glissement
bender	molette de hauteur
bi-timbral	bitimbral
bias	polarisation
bias control	commande de polarisation
bias level	niveau de polarisation
bias point	point de polarisation
bidirectional	bidirectionnel
binary notation	notation binaire
binary number	nombre binaire
binary system	système binaire
bit	bit
bite	mordant
blank	vide
	vierge
blanking	effacement
blend	mélange
blink [to]	clignoter
blinking	clignotement
block	bloc
block diagram	schéma fonctionnel
board	carte
	panneau
boot (up) [to]	amorcer
booting (up)	amorçage
break	interruption
	pause
	rupture
break [to]	interrompre
break key	touche d'interruption

break point	point d'arrêt point de changement point de coupure
breath	souffle
breath control	commande de souffle
breath controller	commande de souffle
breath controller assign	affectation de la commande de souffle
breath controller range	plage de réglage de la commande de souffle
breath controller sensitivity	sensibilité de la commande de souffle
brightness	luminosité
brilliance	luminosité
brilliance control	commande de luminosité
broadband noise	bruit blanc
buffer	mémoire tampon tampon
buffer memory	mémoire tampon
buffer store	mémoire tampon
built-in	incorporé intégré
built-in computer	ordinateur incorporé ordinateur interne
built-in function	fonction intrinsèque
built-in speaker	haut-parleur incorporé
bulk	ensemble masse
bulk data	masse de données
bulk dump	vidage global
bulk erasing	effacement global
bulk information	masse de données
bulk storage	mémoire de grande capacité mémoire de masse

bulk store	mémoire de grande capacité
	mémoire de masse
button	bouton
bypass	bipasse
	circuit de contournement
	dérivation
	déviation
bypass procedure	procédure de dérivation
byte	octet

C

cabinet	boîtier coffret enveloppe
cable	câble
call	appel
call [to]	appeler
cancel	annulation
cancel [to]	annuler
cancellation	annulation
capacitor	condensateur
card	carte
carrier	onde porteuse porteur
carrier frequency	fréquence de l'onde porteuse
carrier signal	signal porteur
carrier wave	onde porteuse
carrying bag	sac de transport
carrying case	étui de transport malette
cartridge	cartouche
cartridge box	coffret à cartouches
cartridge drive	unité à cartouche(s)
cartridge format	formatage de cartouche
cartridge load	chargement par cartouche
cartridge loading	chargement de (par) cartouche

cartridge save	sauvegarde sur cartouche
cascade connection	liaison en cascade
cascade control	commande en cascade
case	boîtier
	étui
	malette
	valisette
cassette	cassette
cassette deck	platine à cassette(s)
cassette drive	unité de cassette(s)
cassette interface	interface cassette
cassette player	lecteur de cassette(s)
cassette recorder	enregistreur à cassette(s)
	magnétophone à cassette(s)
cassette save	sauvegarde sur cassette
centralize [to]	centraliser
chain	chaîne
	enchaînement
chain clear	effacement de chaîne
chain directory	répertoire de chaînes
chain edit	édition de chaîne
chain play	lecture de chaîne
channel	canal
channel switch	sélecteur de canal
character	caractère
character instruction	commande alphanumérique
characteristic	caractéristique
chart	diagramme
	graphique
	tableau
chatter	bruit parasite
check battery	vérification de pile
check indicator	indicateur de contrôle

checking	contrôle vérification
chip	puce
chord	accord
chord intelligence	accompagnement intelligent
chord progression	suite d'accords
chorus	effet de choeur
chromatic	chromatique
circuit	circuit
circuit-board	circuit imprimé
circuit noise	bruit de ligne
circuit noise level	niveau de bruit d'un circuit
circuitry	circuits
clean [to]	effacer
cleaning	effacement
cleaning kit	nécessaire de nettoyage
clear	effacement remise à zéro
clear [to]	effacer
clear operation	opération d'effacement
click-stop position	position à cran
clock	horloge
clock error	erreur de synchronisation
clock rate	fréquence d'horloge
clock signal	signal d'horloge
clock synchronize	synchronisation d'horloge
clocking	synchronisation
closed loop	boucle fermée
closed loop circuit	circuit en boucle fermée
coarse	grossier
coarse adjustment	réglage grossier
coarse setting	réglage grossier

coarse switch	bouton de réglage grossier
code	code
coefficient	coefficient
coloration	coloration
command	commande instruction ordre
command key	touche de contrôle
communication	communication transmission
communication error	erreur de communication
compare	comparaison
compare [to]	comparer
compare mark	repère de comparaison
compatibility	compatibilité
compatible	compatible
component	composant
composition	composition
computer	ordinateur
computer aided	assisté par ordinateur
computer assisted	assisté par ordinateur
computer circuitry	circuits électroniques circuits numériques
computer communication	communication avec un ordinateur
computer controlled	assisté par ordinateur commandé par ordinateur
computerized	informatisé
condenser	condensateur
configuration	configuration
confirmation	confirmation
connect [to]	brancher connecter raccorder

connecting cable	câble de connexion
connecting terminals	borne de connexion
connection	branchement connexion raccordement
connection cable	câble de raccordement
connection diagram	schéma de connexions
connection terminal	borne de raccordement
connector	connecteur
content	contenu
continue	reprise
continue key	touche de reprise
contrast	contraste
contrast control	commande de contraste
control	bouton de commande commande réglage
control bus	bus de commande
control change	changement de commande modification de commande
control circuit	circuit de commande
control key	touche de commande
control knob	bouton de commande bouton de réglage
control panel	panneau pupitre de commande
control signal	signal de commande
control system	système de commande
control unit	unité de commande
controller	commande
controlling device	dispositif de commande
convert [to]	convertir
converter	convertisseur
copy [to]	copier

copy destination point	point de destination de copie
cord	câble
	cordon (électrique)
coupler-type effect	effet de couplage
crossfade	transition
	fondu enchaîné
crosstalk	diaphonie
current	courant
current loop	boucle de courant
cursor	curseur
	potentiomètre à glissière
cursor key	touche de déplacement de curseur
curve	courbe
curve generator	générateur de courbes
curve slope	montée de courbe
cut off [to]	couper
cutoff	arrêt
	coupure
cutoff switch	interrupteur
cycle	cycle
cycles per second	cycles par seconde

D

D/A converter	convertisseur numérique/analogique
daisy chain	connexion en série
damage	avarie défaillance
damp [to]	amortir étouffer
damp point	point d'amortissement
damping	amortissement
data	données
data adapter unit	interface de communication
data amount	masse de données
data backup	maintien de données
data bus	bus de données
data card	carte de données
data cartridge	cartouche de données cartouche magnétique
data cassette recorder	enregistreur de données à cassette(s)
data communication system	système de transmission de données
data compatibility	compatibilité de données
data dump	vidage de mémoire
data editing	édition de données
data entry	entrée de données
data interchange	échange de données
data management	gestion de données

data modifier	modificateur de données
data presetter	présélecteur de données
data protection	protection de données
data record	enregistrement de données
data saving	sauvegarde de données
data set	ensemble de données
data storage	mémorisation de données
data transmission	transmission de données
data transmission channel	voie de transmission (de données)
datacom	transfert de données
datum	donnée
DC power	alimentation CC
deactivate [to]	désactiver
dead	inactif
dead center	réglage médian
dealer	revendeur
decay	affaiblissement
	décroissance
	diminution
decay [to]	amortir, s'-
	décroître
	diminuer
decay level	niveau de décroissance
decay rate	vitesse de décroissance
decay time	temps de décroissance
decibel	décibel
decimal	décimal
decimal digit	chiffre décimal
decimal notation	notation décimale
decimal number	nombre décimal
decimal system	système décimal
decrement	décrément
decrement [to]	décrémenter
default	par défaut
default setting	réglage par défaut

default tempo	tempo par défaut
default value	valeur par défaut
delay	retard
delay effect	effet de retard
delay equalizer	compensateur de retard
delay level	niveau de retard
delay processor	processeur de retard
delay vibrato	vibrato à retard
delete [to]	annuler effacer
delete channel	effacement de canal
demo	démonstration
demo button	touche de démonstration
demo programme	programme de démonstration
demo song	morceau de démonstration
depth	amplitude intensité registre grave taux
destination equipment	équipement destinataire
destination memory	mémoire de destination
detune	désaccord désaccordage
detune [to]	désaccorder
detune depth	taux de désaccordage
detune job	travail de désaccordage
device	appareil dispositif organe périphérique
device adapter	adaptateur périphérique
device adapter interface	interface de périphérique
diagram	diagramme schéma

dial	cadran sélecteur manuel
dial switching	sélection par cadran numérique
die away [to]	affaiblir, s'- arrêter, s'- éteindre, s'-
die down [to]	affaiblir, s'- arrêter, s'- éteindre, s'-
differential interpolation	interpolation différentielle
differential loop modulation	modulation différentielle en boucle
digit	chiffre
digital	numérique
digital circuitry	circuits numériques
digital circuit	circuit numérique
digital controlled oscillator	oscillateur à commande numérique
digital data	données numériques
digital delay line	ligne de retard numérique
digital display	affichage numérique
digital dynamic amplifier	amplificateur dynamique numérique
digital dynamic filter	filtre dynamique numérique
digital editing	édition numérique
digital filter	filtre numérique
digital filtering	filtrage numérique
digital FM tone generation	génération de son FM numérique
digital frequency generator	générateur de fréquences numérique
digital harmonics generator	générateur d'harmoniques numérique
digital impulse	impulsion numérique

digital input	entrée numérique
digital modulation	modulation numérique
digital music instrument	instrument de musique numérique
digital programmable algorithm synthesizer	synthétiseur numérique à algorithmes programmables
digital readout	affichage numérique
digital recorder	enregistreur numérique
digital reverb	réverbération numérique
digital rhythm programmer	programmateur de rythmes numérique
digital sequence	séquence numérique
digital system	système numérique
digital-to-analog conversion	conversion numérique/analogique
digital-to-analog converter	convertisseur numérique/analogique
digitally	numériquement
digitizer tablet	tablette de numérisation
DIN connector	connecteur DIN
DIN jack	prise DIN
DIN plug	fiche DIN
direct access	accès direct
	accès direct, à -
direct access device	périphérique à accès séquentiel
direct access storage	mémoire à accès direct
direct control	commande directe
direct current	courant continu
direct function	fonction directe
direct memory access	accès direct à la mémoire
direct select	sélection directe
directory	répertoire
disable [to]	désactiver
disabling	mise hors-service

disc	disque
disc box	coffret à disquettes
disc change	changement de disque
disc drive	lecteur de disque
	unité de disque
disc memory	mémoire à disque(s)
disc slot	fente d'insertion de disque
disc storage	mémoire à disque(s)
disc storage drive	mécanisme d'entraînement de disque
disc store	mémoire à disque(s)
disconnect [to]	débrancher
disconnection	déconnexion
display	affichage
display [to]	afficher
display light	lampe-témoin
	voyant
display resolution	résolution d'affichage
display window	fenêtre d'affichage
distorsion	distorsion
divide (up) [to]	diviser
	diviser, se -
	partager
	séparer
double check	double vérification
downbeat	temps fort
	temps frappé
downward	décroissant
drive	lecteur
	unité de disque(s)
drum machine	batterie électronique
	boîte à rythmes
drum rhythm	rythme de batterie
drum sequence	séquence de batterie
dry battery	pile sèche
dual	double

dual-carrier algorithm	algorithme à deux porteurs
dump	vidage
dump [to]	effacer
	vider
dump request	demande de vidage
dumping	vidage
duplication	reproduction
duration	durée
dust cover	housse (de protection)
dynamic	dynamique
dynamic keyboard	clavier dynamique
dynamics	dynamique

E

earphone	écouteur
easy-to-operate	facile d'emploi
echo	écho
echo effect	effet d'écho
edit	édition
edit [to]	éditer
edit buffer	tampon d'édition
edit buffer initialization	initialisation du tampon d'édition
edit button	touche d'édition
edit parameter	paramètre d'édition
edit recall	rappel du dernier son édité
editing	édition
editing procedure	procédure d'édition
effect	effet
effect memory	mémoire d'effets
effector	unité d'effets spéciaux
EG select	sélection de générateur d'enveloppe
eject button	bouton d'éjection
electrical interference	interférence électrique
electronic	électronique
electronic component	composant électronique
electronic module	module électronique
electronic music	musique électronique
electronic musical instrument	instrument de musique électronique
electronic piano	piano électronique

electronic switch	commutateur électronique
electronic technology	technologie électronique
enable [to]	valider
enabling	mise en service
end mark	repère de fin
endless	infini, à l'- sans fin
endless loop	boucle sans fin
endless repeat	répétition sans fin
enhance [to]	améliorer augmenter
enhancement	amélioration augmentation
enter [to]	enregistrer entrer inscrire introduire
enter key	touche d'introduction
envelope	enveloppe
envelope curve	courbe d'enveloppe
envelope generator	générateur d'enveloppes
equal tempered scale	gamme tempérée
equalizer	correcteur égaliseur
equipment	appareillage équipement matériel
equipment failure	panne d'équipement
erasability	possibilité d'effacement
erasable storage	mémoire effaçable
erasable store	mémoire effaçable
erase	effacement
erase [to]	effacer
erasing	effacement
erasure	effacement
ergonomic	ergonomique

error	erreur
error message	message d'erreur
even note	note paire
event	événement
exchange	échange
exchange [to]	échanger
execute button	touche d'exécution
execute order	instruction d'exécution
execute statement	instruction d'exécution
execution time	temps d'exécution
exit [to]	quitter
exit button	touche de sortie
expander	expandeur
	unité d'extension
expansion board	carte d'extension
exponential	exponentiel
exponential curve	courbe exponentielle
expression	expression
expression control	commande d'expression
expression pedal	pédale d'expression
extended	étendu
extension cable	rallonge de câble
extension store	mémoire auxiliaire
external	externe
external clock	horloge externe
external device	appareil externe
	périphérique
external keyboard	clavier externe
external memory	mémoire externe
external storage	mémoire externe

F

facility	possibilité
factory preset	pré-programmé programmé en usine
factory programmed	programmé en usine
factory setting	réglage d'usine
fade	disparition progressive évanouissement fondu (sonore)
fade [to]	disparaître progressivement évanouir, s'-
fade-in	apparition progressive fondu à l'ouverture
fade-out	disparition progressive évanouissement fondu à la fermeture
fader	atténuation commande de fondu sonore
failure	incident panne
fall time	temps de retombée
falling exponential curve	courbe exponentielle descendante
falling linear curve	courbe linéaire descendante
fast access	accès rapide, à -
fast access memory	mémoire à accès rapide

fast access storage	mémoire à accès rapide
fault	défaillance
	incident
	panne
faulty	défectueux
feature	caractéristique (technique)
feed [to]	alimenter
feed back [to]	alimenter en retour
feedback	rétroaction
feedback level	niveau de rétroaction
feedback loop	boucle de rétroaction
feeding device	dispositif d'alimentation
female plug	connecteur femelle
file	fichier
fill-in	variation rythmique
filling	remplissage
filter	filtre
filter [to]	filtrer
filter cutoff	coupure de filtre
filter out [to]	éliminer (par filtrage)
filter slope	pente de filtre
fine adjustment	réglage fin
fine setting	réglage fin
fine switch	bouton de réglage fin
fine tuning	accord fin
fingering	doigté
finish	finition
finish off [to]	affiner
fixed bias	polarisation fixe
fixed frequency	fréquence fixe
fixed store	mémoire fixe
	mémoire morte
flag	drapeau
flashing cursor	curseur clignotant
flashing dot	point clignotant
flat cable	câble plat

flat level	niveau neutre
flat response	réponse neutre
flaw	défaut
flexibility	souplesse
flexible disc	disque souple
flexible disc memory	mémoire à disque(s) souple(s)
flip [to]	basculer
floppy disc	disque souple disquette
floppy disc drive	lecteur de disque(s) souple(s) unité de disque(s) souple(s)
flowchart	organigramme
fluorescent lamp	lampe fluorescente
FM expander	unité d'extension FM
FM stack	pile FM
FM synthesis	synthèse FM
follow mode	mode de suivi
foot control	commande au pied pédale de commande
foot controller	commande au pied pédale de commande
foot controller assign	affectation de la pédale de commande
foot controller range	plage de réglage de la pédale de commande
foot controller sensitivity	sensibilité de la pédale de commande
footswitch	interrupteur au pied
footswitch assign	affectation de l'interrupteur au pied
format	format
format [to]	formater
formatting	formatage

fractional	fractionnaire
fractional note	note fractionnaire
fractional ratio	rapport fractionnaire
frequency	fréquence
frequency band	bande de fréquences
frequency generator	générateur de fréquences
frequency modulation	modulation de fréquence
frequency range	gamme de fréquences
frequency ratio	rapport de fréquence
frequency response	réponse en fréquences
front feed	alimentation frontale
front loading	chargement frontal
front panel	face avant panneau avant panneau frontal
full digital processing	traitement numérique intégral
full time portamento	portamento permanent
function	fonction
function button	touche de fonction
function data	données de fonction
function edit buffer	tampon d'édition de fonction
function key	touche de fonction
function parameter	paramètre de fonction
function table	table de fonctions
functional diagram	schéma fonctionnel
fundamental	fondamentale son fondamental
fuse	fusible

G

gain	gain
gamut	gamme (musicale)
gap	écart
	intervalle
general-purpose interface	interface universelle
generate [to]	générer
generation	génération
generator	générateur
glide	glissement
glide effect	effet de glissement
glissando	glissando
glitch	transitoire
go out [to]	éteindre, s'-
go through [to]	passer en revue
gradual	graduel
	progressif
graph	graphique
graphic display	visualisation graphique
graphic programming assistance	aide à la programmation graphique
grass	bruit de fond
grittiness	rudesse
ground noise	bruit de fond
grounding	mise à la terre
group	groupe
growth capability	possibilité d'extension
guidebook	guide
guitar synthesizer	synthétiseur de guitare

H

half-cycle	demi-cycle
half-intensity	demi-intensité
halt [to]	arrêter
	interrompre
	stopper
halt indicator	indicateur d'arrêt
hand operation	opération manuelle
handle [to]	manier
	manipuler
	traiter
handling	manipulation
	traitement
handshake	protocole de transfert
handshaking	échange de données avec protocole
	transfert par établissement de liaison
hard case	malette rigide
hard disk interface	interface pour disque dur
hardware	matériel
harmonic	harmonique
harmonic content	contenu en harmoniques
harmonic distorsion	distorsion harmonique
harmonic generator	générateur d'harmoniques
harmonic progression	suite harmonique
harmonic spectrum	spectre harmonique
harmonic structure	structure harmonique
harmonics	harmoniques

harmonics addition	addition d'harmoniques
harmonics generator	générateur d'harmoniques
harmonize [to]	harmoniser
harmonizing	harmonisation
headphones	casque d'écoute
headphones monitoring	contrôle au casque
headphones monitoring level	niveau de contrôle au casque
headphones output	sortie casque
headphones socket	prise casque
hex	hexadécimal notation hexadécimale
hexadecimal	hexadécimal
hexadecimal digit	chiffre hexadécimal
hexadecimal notation	notation hexadécimale
hexadecimal number	nombre hexadécimal
hexadecimal system	système hexadécimal
high data rate	transmission à grande vitesse
high frequency	haute fréquence
high grade component	composant de haute qualité
high level signal	signal à niveau élevé
high note	note haute
high pass filter	filtre passe-haut
high performance	haute performance, à - performant
high performance equipment	équipement à haute performance
high range note	note haute
hold	maintien
hold [to]	maintenir
hold down [to]	maintenir enfoncé
hold facility	possibilité de maintien
hold time	temps de maintien
home location	position initiale

home position	position de repos
	position initiale
homing	retour en position initiale
homing position	position de repos
hook-up	connexion
	raccordement
hook up [to]	connecter
house [to]	incorporer
	loger
	monter
household AC current	réseau électrique
hum	bourdonnement
	bruit de fond
	ronflement
	ronronnement
hum-free	sans ronflement

I

identification character	caractère d'identification
illegal	erroné
	inapproprié
illegal command	commande erronée
illegal instruction	instruction erronée
illuminate [to]	éclairer
imitate [to]	imiter
immediate access	accès direct
immediate access storage	mémoire à accès direct
implementation	implémentation
impulse	impulsion
inaccurate	incorrect
	inexact
	peu précis
incorrect	incorrect
incorrect operation	opération erronée
increment	incrément
increment [to]	incrémenter
increment dial	cadran de commande
indicate [to]	désigner
	indiquer
	signaler
indicating element	élément d'indication
	voyant
indicator	indicateur
	témoin
indicator lamp	voyant lumineux
indirect select	sélection indirecte

information	données information
information exchange	échange d'informations
infrasound	infrason
initial attack slope	courbe d'attaque initiale
initial point	point d'origine point de départ
initial positioning	positionnement de départ
initial state	état initial
initial value	valeur de base valeur initiale
initial voice	son initial
initialization	initialisation
initialize [to]	initialiser
initialize memory	initialisation de la mémoire
inoperative	inopérant
input	entrée
input [to]	introduire
input channel	canal d'entrée canal d'introduction
input error	erreur d'introduction
input filter	filtre d'entrée
input impedance	impédance d'entrée
input level	niveau d'entrée
input port	port d'entrée
input pulse	impulsion de sortie
input signal	signal d'entrée
input socket	prise d'entrée
input/output cable	câble d'entrée/sortie
input/output data	données d'entrée/sortie
input/output indicator	indicateur d'entrée/sortie
input/output switching	commutation d'entrée/sortie
insert	insertion
insert [to]	insérer

insertion	insertion
installation	installation
installation manual	manuel d'installation
instantaneous access	accès instantané
instruction	commande instruction ordre
instruction booklet	notice de fonctionnement
instruction manual	manuel d'instruction
instrument key	touche d'instrument
instrumental	instrumental
insulation	isolation
integrated adapter	adaptateur intégré
integrated circuit	circuit intégré
intensity	intensité
intensity control	commande d'intensité
intensity level	niveau d'intensité
interchange	échange
interchange [to]	échanger
interconnect	câble d'interconnexion
interconnection	interconnexion
intercouple [to]	coupler interconnecter
interface	interface
interface adapter	adaptateur d'interface
interface connection	branchement de liaison
interfaceable	interconnectable
intermediate equipment	dispositif intermédiaire
internal	interne
internal clock	horloge interne
internal memory	mémoire interne
internal memory capacity	capacité de la mémoire interne
internal speaker	haut-parleur incorporé
internal storage	mémoire interne
interrupt	interruption

interrupt [to]	débrancher
	déconnecter
	interrompre
interrupt indicator	indicateur d'interruption
interruption	interruption
interval	intervalle
introduction	introduction
invalid	erroné
	non valable
invalid command	commande erronée
invalid key	touche inopérante
irreversible operation	opération irréversible

J

jack	prise
jack panel	tableau de connexions
jar	son discordant
job	exploitation fonctionnement travail
job execution	exécution de travaux
job selector	sélecteur de travail
joystick	manche à balai manette

K

key	ton
	touche
key assign	affectation du clavier
key controlled	commandé par touche
key depression	frappe
	pression sur une touche
key filter	filtre de touche
key follow	suivi de touche
key lock	verrouillage du clavier
key number	numéro de touche
key off	relâchement de la touche
	touche relâchée
key on	enfoncement de la touche
	touche enfoncée
key shift	décalage de hauteur
	décalage de ton
key signature	armature
	armure de clef
key split	division du clavier
key sync	synchronisation sur touche
key touch force	force de frappe
key transpose	transposition du clavier
keyboard	clavier
keyboard amplifier	amplificateur de clavier
keyboard controller	clavier de commande
keyboard mask	housse de protection de clavier
keyboard operated	commandé par porteur

keyboard range	étendue de clavier
keyboard response	réponse de clavier
keyboard scaling	pondération de clavier
keyboard scaling level	niveau de pondération de clavier
keyboard scaling rate	taux de pondération de clavier
keyboard split point	point de partage du clavier
keyboard stand	support de clavier
keynote	tonique
keypad	bloc de touches
	clavier
	ensemble de touches
kilobaud	kilobaud
kilobyte	kilo-octet
knob	bouton

L

lag	décalage
	retard
layout	disposition
least significant bit	binaire de poids faible
LED display	affichage électroluminescent
LED readout	affichage électroluminescent
level	niveau
level attenuator	atténuateur de niveau
level control	commande de niveau
level variation	variation de niveau
lever	levier
	manette
	molette
lid	couvercle
life expectancy	durée de vie
light (up) [to]	allumer, s'-
light emitting diode	diode électroluminescente
	témoin
light indicator	voyant
light switch	poussoir lumineux
lighted display	affichage lumineux
line connector cord	cordon secteur
line cord	cordon d'alimentation
line current	courant secteur
line filter	filtre secteur
line input	entrée de ligne

line noise	bruit de ligne
line out	sortie de ligne
line output	sortie de ligne
linear	linéaire
linear arithmetic synthesis	synthèse arithmétique linéaire
linear control	commande linéaire
linear curve	courbe linéaire
linear slider	commande linéaire
linear synthesizer	synthétiseur linéaire
lingering effect	effet d'allongement
link	liaison lien
link [to]	lier
liquid crystal display	affichage à cristaux liquides
listening level	niveau d'écoute
load	chargement
load [to]	charger
loading	chargement
loading cartridge	chargement de cartouche
loading error	erreur de chargement
loading operation	opération de chargement
loading single	chargement unitaire
locate [to]	localiser
locate function	fonction de recherhe
location	emplacement
locator	localisateur
locking mechanism	mécanisme de verrouillage
locking-type button	touche autobloquante
loop	boucle
looping	bouclage
loss	atténuation perte
loud	fort

loudness	force intensité puissance volume
loudspeaker	haut-parleur
low	bas faible
low frequency	basse fréquence
low frequency oscillator	oscillateur basse fréquence
low frequency sweep	balayage en basse fréquence
low medium	bas médium
low note	note basse
low pass filter	filtre passe-bas
low performance equipment	matériel de faible performance
low range note	note grave
lower	partie inférieure d'un clavier
lower [to]	abaisser
lower keyboard	clavier inférieur
lower manual	clavier inférieur

M

magnetic card storage	mémoire à carte(s) magnétique(s)
magnetic card unit	unité de carte(s) magnétique(s)
magnetic disc	disque magnétique
magnetic disc storage	mémoire à disque(s) magnétique(s)
magnetic disc unit	unité de disque(s) magnétique(s)
magnetic recording	enregistrement magnétique
magnetic shield	écran anti-magnétique
magnetic support	support magnétique
magnetic tape	bande magnétique
magnetic tape cassette	cassette de bande magnétique
magnetic tape unit	unité de bande(s) magnétique(s)
magnetic track	piste magnétique
male plug	connecteur mâle
malfunction	défaillance mauvais fonctionnement panne
management	gestion
manual	clavier manuel
manual control	commande manuelle
manual playing	exécution manuelle

mark	marque repère
mass storage	mémoire de grande capacité mémoire de masse
mass store	mémoire de grande capacité mémoire de masse
master clear	effacement global
master tune	accordage général
master tuning	accordage général
master volume control	commande de volume général
master volume slider	curseur de volume général
measure insert	insertion de mesures
mel	mel
melodic	mélodique
melodic sequence	séquence mélodique
melody	mélodie
melody intelligence	intelligence mélodique
melody range	portée mélodique
memorize [to]	mémoriser
memory	mémoire
memory access	accès à la mémoire
memory access mode	mode d'accès à la mémoire
memory board	carte (de) mémoire
memory capacity	capacité (de) mémoire
memory card	carte (de) mémoire
memory cleaning	effacement (de) mémoire
memory configuration	configuration (de) mémoire
memory dump	vidage (de) mémoire
memory erasure	effacement (de) mémoire
memory expansion	extension (de) mémoire
memory expansion capacity	possibilité d'extension (de) mémoire

memory management	gestion de mémoire
memory protect	protection (de) mémoire
memory protection	protection (de) mémoire
memory random access	accès aléatoire à la mémoire
memory space	espace mémoire
merge	fusion mélange
meter	compteur
metronome	métronome
micro tune	micro-accordage
micro tuning	micro-accordage
microsecond	microseconde
microtonal	microtonal
microtonal scale	échelle microtonale
MIDI [to]	midifier
MIDI channel	canal MIDI
MIDI clock	horloge MIDI
MIDI code	code MIDI
MIDI compatibility	compatibilité MIDI
MIDI compatible	compatible MIDI
MIDI connector	connecteur MIDI
MIDI controllable	commande MIDI, à -
MIDI device	appareil MIDI
MIDI equipment	équipement MIDI
MIDI equipped	équipé de l'interface MIDI
MIDI event processor	processeur de signaux MIDI
MIDI implementation	implémentation MIDI
MIDI in	entrée MIDI
MIDI in/out terminal	borne d'entrée/sortie MIDI
MIDI instrument	instrument MIDI
MIDI out	sortie MIDI
MIDI recorder	enregistreur MIDI
MIDI socket	prise MIDI
MIDI switch	commutateur MIDI

MIDI test signal	signal d'essai MIDI
MIDI thru	sortie MIDI directe
millisecond	milliseconde
mini floppy	minidisquette
mini floppy disc	minidisquette
mini jack	mini-prise
misread	erreur de lecture
mix recording	enregistrement par mélange
mixer	mélangeur table de mixage
mixing console	mélangeur table de mixage
mode	mode
modifier	modificateur
modify	modification
modify [to]	modifier
modular FM voice generator	générateur modulaire de son FM
modular synthesizer	synthétiseur modulaire
modulate [to]	moduler
modulating operator	opérateur de modulation
modulating signal	signal de modulation
modulation	modulation
modulation depth	taux de modulation
modulation generator	générateur de modulation
modulation lever	levier de modulation
modulation rate	taux de modulation
modulation speed	vitesse de modulation
modulation wheel	molette de modulation
modulation wheel assign	affectation de la molette de modulation
modulation wheel range	plage de réglage de la molette de modulation
modulation wheel sensitivity	sensibilité de la molette de modulation

modulation whcel vibrato	vibrato par molette de modulation
modulator	modulateur
module	module
monaural	monaural
	monophonique
monitor [to]	contrôler
monitor system	système de contrôle
mono	mono
mono input	entrée mono
mono output	sortie mono
mono/stereo output	sortie mono/stéréo
monophonic	monaural
	monophonique
monophonic play	exécution monophonique
monophony	monophonie
monotoring	contrôle
most significant bit	binaire de poids fort
mounting holder	support de montage
mouse	souris
multichannel	multicanal
multichannel recording	enregistrement multicanal
multifunction	fonctions multiples, à -
	multifonction
multifunction key	touche multifonctions
	touche à fonctions multiples
multipin connector	connecteur multibroches
multiple tone generator system	système à plusieurs générateurs de son
multipoint connector	connecteur multibroches
multipurpose	polyvalent
	usages multiples, à -
multipurpose key	touche multifonctions
multisampling	échantillonnage multiple
multitimbral	multitimbral

multitrack	multipistes
multitrack sequencer	séquenceur multipistes
multivoice	multivoix
music composer programme	programme de composition musicale
music composition	composition musicale
music computer	ordinateur musical
music data	données musicales
music keyboard	clavier musical
music notation	notation musicale
music rack	porte-partition pupitre à musique
music rest	porte-partition pupitre à musique
music stand	porte-partition pupitre à musique
musical language	langage musical
musical instrument digital interface	interface numérique pour instruments de musique
mute	sourdine
mute [to]	assourdir

N

name plate	plaque d'identification plaque signalétique
negative feedback	rétroaction convergente
net	réseau
network	réseau
noise	bruit
noise generating device	générateur de bruit
noise generator	générateur de bruit
noise level	niveau de bruit
noise-free	sans bruit
noiseless	exempt de bruit de fond silencieux
nominal bandwidth	largeur de bande nominale
non-erasable memory	mémoire ineffaçable
non-erasable storage	mémoire ineffaçable
non-sinewave waveform	forme d'onde non sinusoïdale
non-zero value	valeur autre que zéro
noodle	bruit de fond
normalize [to]	normaliser régulariser
note	note
note length	durée de notes
note output	sortie de notes
note progression	suite de notes
note resolution	résolution de notes
note search	recherche de notes
nuance	nuance

numeric	numérique
numeric data	données numériques
numeric keypad	clavier numérique
numeric pad	pavé numérique
numerical	numérique
numerical control	commande numérique
numerical data	données numériques
numerical input	entrée numérique

O

octave shift	décalage d'octave
octave transpose	transposition d'octave
odd note	note impaire
off	hors fonction
off-beat	désynchronisé non synchronisé
off-hook	débranché déconnecté
off-line	autonome non connecté
off-time	décalé
offset	décalage
offset [to]	décaler
on	fonction, en - sous tension
on-board	carte, sur - incorporé
on-hook	connecté ligne, en -
on-line	connecté ligne, en-
on/off switch	interrupteur général
one-step operation	opération à un seul pas
open circuit	circuit ouvert
open loop	boucle ouverte
open system	système ouvert
operable	opérationnel

operate [to]	actionner
	faire fonctionner
	faire marcher
	fonctionner
	marcher
operation	fonctionnement
	opération
operation directory	manuel de référence
operation error	erreur de fonctionnement
operation manual	mode d'emploi
operator	opérateur
operator disable	mise hors fonction d'opérateur
operator enable	mise en fonction d'opérateur
operator out(put) level	niveau de sortie d'opérateur
operator select	sélection d'opérateur
optional	option, en -
	optionnel
orchestration	orchestration
original	initial
	premier
oscillation	oscillation
oscillator frequency	fréquence d'oscillateur
out	éteint
out of tune	désaccordé
output	sortie
output assign	affectation de sortie
output channel	canal de sortie
output impedance	impédance de sortie
output jack	borne de sortie
output level	niveau de sortie
output level attenuate	atténuation de niveau de sortie

output level attenuator	atténuateur de niveau de sortie
output port	port de sortie
output pulse	impulsion de sortie
output signal	signal de sortie
output socket	prise de sortie
output voltage	tension de sortie
overall pitch	hauteur d'ensemble hauteur générale
overdub	surimpression
overdub recording	enregistrement par surimpression
overdubbing	possibilité de surimpression surimpression
overflow	saturation
overflow indicator	indicateur de saturation
overlap [to]	chevaucher, se -
overlapping	chevauchement
overload	surcharge
overrun	engorgement
overtone	harmonique
overwrite	surimpression
overwriting	surimpression
owner's manual	manuel d'utilisation manuel de l'utilisateur manuel de référence mode d'emploi

P

pan control	commande de panoramique
pan-pot	potentiomètre de panoramique
panning	panoramique
panning effect	effet de panoramique
parallel input/output	entrée/sortie parallèle
parameter	paramètre
parameter assign	affectation de paramètre
partial	partiel
pass band	bande passante
patch	câblage connection correction liaison paramètre
patch [to]	brancher connecter corriger relier
patch cord	cordon de raccordement
pattern	modèle motif patron
pause	pause
PCM sampling	échantillonnage PCM
PCM sound generator	générateur de sons PCM
PCM wave	onde PCM

PCM waveform	forme d'onde PCM
peak	crête
pedal	pédale
perform [to]	accomplir effectuer exécuter
performance	exécution
performance cartridge	cartouche d'exécution
performance combination	combinaison d'exécution
performance data	données d'exécution
performance effect	effet d'exécution
performance memory	mémoire d'exécution
performance name	nom de combinaison d'exécution
performance parameter	paramètre d'exécution
peripheral	périphérique
peripheral device	organe périphérique
peripheral equipment	organe périphérique
phase angle	angle de phase
phase shift	décalage de phase
phase shifting effect	effet de décalage de phase
phasing-type effect	effet de déphasage
phones jack	prise (pour) casque (d'écoute)
phrasing	phrase
pilot lamp	lampe témoin voyant
pilot light	lampe témoin voyant
pin	broche
pinboard	tableau de connexions
pink noise	bruit rose
pitch	diapason hauteur (tonale) ton
pitch bend	variation de hauteur

pitch bend effect	effet de variation de hauteur
pitch bend range	variation de hauteur maximale
pitch bend wheel	molette de variation de hauteur
pitch bender	molette de variation de hauteur
pitch modulation	modulation de hauteur
pitch modulation depth	taux de modulation de hauteur
pitch randomize	variation aléatoire de la hauteur
pitch variation	variation de hauteur
pitch wheel	molette de variation de hauteur
pitch wheel range	plage de réglage de la molette de variation de hauteur
pitch-to-MIDI converter	convertisseur hauteur/MIDI
pitch-to-voltage converter	convertisseur hauteur/tension
pitchless sound	son atonal
play	exécution lecture reproduction
play [to]	exécuter jouer
play back [to]	réécouter repasser reproduire
playability	possibilités d'exécution
playback	exécution lecture reproduction

plug	fiche
plug in [to]	brancher
plug-in type	type enfichable, de -
plug-in unit	élément enfichable
plugboard chart	schéma de connexions
pluggable	enfichable
pluggable connector	connecteur enfichable
plugging	enfichable
plugging chart	schéma de connexions
point of contact	point de contact
pointer	repère
polarity	polarité
poly mix	mélange polyphonique
polyphonic	polyphonique
polyphonic play	exécution polyphonique
polyphonic pressure	pression polyphonique
polyphonic pressure sensitivity	sensibilité à la pression polyphonique
polyphony	polyphonie
port	port
portamento	portamento
portamento footswitch	pédale de portamento
portamento pedal	pédale de portamento
portamento time	durée de portamento
pot	potentiomètre
potentiometer	potentiomètre
power	alimentation courant électricité puissance
power [to]	alimenter
power amplification	amplification de puissance
power amplifier	amplificateur de puissance
power cable	cordon d'alimentation
power consumption	consommation électrique
power converter	convertisseur de secteur

power failure	défaillance secteur
power fluctuation	variation de tension
power indicator	témoin d'alimentation témoin de mise sous tension
power indicator lamp	témoin d'alimentation témoin de mise sous tension
power level	niveau de puissance
power on/off switch	interrupteur d'alimentation interrupteur général
power requirement	puissance requise
power supply	alimentation
power switch	interrupteur d'alimentation interrupteur général
power-down	mise hors tension
power-on	mise sous tension
power-on display	affichage à la mise sous tension
power-up	mise sous tension
preprogrammed	préprogrammé programmé à l'avance
preset	présélection
preset [to]	prérégler présélectionner régler à l'avance
preset memory	mémoire préprogrammée
preset ROM	mémoire préprogrammée
preset search	recherche de son préprogrammé
preset voice	son préprogrammé
presetter	présélecteur
press [to]	appuyer enfoncer presser
pressure	pression

pressure sensitive	sensible à la pression
pressure sensitive keyboard	clavier sensible à la pression
procedure	procédure
process	méthode procédé processus traitement
processor	processeur
programmable	programmable
programmable keyboard	clavier programmable
programme	programme
programme [to]	programmer
programme accessible	accessible par programme
programme backup	sauvegarde de programme
programme cartridge	cartouche de programmes
programme change	changement de programme
programme from scratch [to]	programmer à partir de rien (zéro)
programmer	programmateur
programming	programmation
programming error	erreur de programmation
programming flowchart	diagramme de programmation
programming method	méthode de programmation
programming procedure	procédure de programmation
prompt	guidage indication message
prompt [to]	guider indiquer
proportional	proportionnel
protect	protection

protect [to]	protéger
protect memory write	protection en écriture mémoire
pulse	impulsion
pulse code modulation	modulation par impulsions codées
pulse generator	générateur d'impulsions
pulse modulation	modulation par impulsions
pulse regeneration	régénération d'impulsions
punch point	point d'insertion
punch-in	insertion
punch-out	suppression
push terminal	borne à poussoir
push-button	bouton-poussoir

Q

quantify [to]	quantifier
quantization	quantification
quantize	quantification
quantize [to]	quantifier
quantize level	niveau de quantification
quantize value	valeur de quantification
quantizing	quantification
quick access memory	mémoire à accès rapide
quick load	chargement rapide
quick playback	reproduction rapide
quit [to]	quitter

R

RAM cartridge	cartouche RAM
random	aléatoire
random access	accès aléatoire
random access device	dispositif à accès direct
random access memory	mémoire à accès direct
	mémoire vive
random factor	facteur aléatoire
random value	valeur aléatoire
range	diapason
	étendre
	gamme
	plage
	portée
	registre
	tessiture
rate	taux
	vitesse
rate parameter	paramètre de vitesse
rated output	sortie nominale
rated output level	niveau de sortie nominal
ratio	rapport
read [to]	afficher
	indiquer
	marquer
read back check	contrôle par relecture
read error	erreur de lecture
read out [to]	afficher
	extraire
	sortir

read-only memory	MEM mémoire morte
reading error	erreur de lecture
readjust [to]	régler
readout	affichage
real-time	temps réel
real-time control	commande en temps réel
real-time editing	édition en temps réel
real-time effect	effet en temps réel
real-time recording	enregistrement en temps réel
real-time transmission	transmission en temps réel
real-time writing	écriture en temps réel
rear panel	face arrière
recall [to]	rappeler
recall edit buffer	rappel du tampon d'édition
receive buffer	tampon de réception
receive channel	canal de réception
receive conditions	conditions de réception
receiving channel	canal de réception
receiving device	appareil récepteur
reception	réception
reception channel	canal de réception
reception conditions	conditions de réception
record	enregistrement
record [to]	enregistrer
record button	touche d'enregistrement
record cancel	annulation de l'enregistrement
record standby	attente d'enregistrement
recordable	enregistrable
recorder	enregistreur
recording	enregistrement
recording channel	canal d'enregistrement
recording keyboard	clavier d'enregistrement

recording tempo	tempo d'enregistrement
reference guide	guide de référence
reference level	niveau de référence
reference manual	manuel de référence
refine [to]	affiner
reframe	recadrage
regulate [to]	régler
regulator	régulateur
reinitialization	réinitialisation
reinitialize [to]	réinitialiser
release	relâchement
release [to]	relâcher
release rate	vitesse de relâchement
release velocity	vélocité de relâchement
release velocity sensitive	sensible à la vélocité de relâchement
release velocity sensitivity	sensibilité à la vélocité de relâchement
reliability	fiabilité
reload	rechargement
reload [to]	recharger
reloading	rechargement
remote control	commande à distance télécommande
remote controller	commande à distance télécommande
removable	amovible
removable cartridge	cartouche amovible
removable magnetic disc	disque magnétique amovible
rename [to]	changer le nom de donner un nouveau nom à
repair kit	nécessaire de réparation
repeat	lecture répétitive répétition reprise

repeat [to]	répéter
	reprendre
repeat action key	touche répétitrice
request	demande
reset	réinitialisation
	remise à l'état initial
	remise à l'état zéro
reset [to]	remettre à zéro
	réinitialiser
	remettre à l'état initial
reset button	bouton de réinitialisation
	bouton de remise à l'état initial
resetting	réinitialisation
	remise à l'état initial
	remise à zéro
residual noise	bruit résiduel
resistance	résistance
resolution	résolution
resonance	résonance
resonate [to]	résonner
respond [to]	réagir
	répondre
response	réponse
response time	temps de réponse
restart	reprise
restore [to]	rétablir
resume [to]	recommencer
	reprendre
retain [to]	conserver
retain mode	mode de maintien
retrieval	recherche
	récupération
reverb	[durée de] réverbération
reverb level	niveau de réverbération
reverb type	type de réverbération

reverberation	réverbération
reverse key	touche d'inversion
reverse priority	priorité inverse
reversible flexible disc	disquette double face
revert [to]	retourner revenir
review [to]	passer en revue
rhythm	rythme
rhythm composer	boîte à rythmes composeur de rythmes programmateur de rythmes
rhythm machine	boîte à rythmes composeur de rythmes programmateur de rythmes
rhythm pattern	motif rythmique
rhythm programmer	boîte à rythmes composeur de rythmes programmateur de rythmes
rhythm volume slider	curseur de volume de rythme
rhythmic guide	guide rythmique
ring modulator	modulateur en anneau
rise time	temps de montée
rising exponential curve	courbe exponentielle ascendante
rising linear curve	courbe linéaire ascendante
root	fondamentale
rotary switch	commutateur circulaire
rotate [to]	[faire] tourner
rub out [to]	décaler
run	exécution
running diagram	diagramme de fonctionnement

S

sample	échantillon
sample and hold	échantillonneur-bloqueur
sample rate	fréquence d'échantillonnage
sampler	échantillonneur
sampler module	module d'échantillonnage
sampling frequency	fréquence d'échantillonnage
sampling keyboard	clavier d'échantillonnage échantillonneur
sampling machine	seuil d'échantillonnage
sampling time	temps d'échantillonnage
save [to]	sauvegarde[r]
save operation	opération de sauvegarde
save temporary operator	sauvegarde temporaire d'opérateur
save to cartridge	sauvegarde sur cartouche
scale	échelle gamme
scaling	étalonnage
scan [to]	balayer scruter
scanning	balayage
score	partition
score holder	porte-partition pupitre à musique
score stand	porte-partition pupitre à musique

screen display	affichage sur écran
scroll [to]	défiler
	faire défiler
scroll arrow	flèche de défilement
scroll through [to]	faire défiler
	parcourir
	passer en revue
search	recherche
search [to]	rechercher
search mark	repère de recherche
sector	secteur
select [to]	choisir
	sélectionner
select button	touche de sélection
selection	sélection
selector	sélecteur
semitone	demi-ton
send	émission
send [to]	émettre
	envoyer
sending	recherche
sensitive	sensible
sensitivity	sensibilité
sequence	séquence
sequence data	données de séquence
sequence recorder	enregistreur de séquences
sequencer	séquenceur
sequencing	séquencement
sequentially	de manière séquentielle
	séquences, en -
series connected	connecté en série
set	ensemble
set [to]	déterminer
	fixer
	régler
set mark	pose de repère

set status	détermination de statut
setting	réglage
setting up	installation
setup	installation
setup diagram	schéma de montage
shape	forme
shielded cord	cordon blindé
shielded wire	fil blindé
shift	décalage
shift clock	décalage d'horloge
shift in pitch	décalage de hauteur
short	court-circuit
short circuit	court-circuit
shorten [to]	réduire
show [to]	afficher
	indiquer
signal	signal
signal analyser	analyseur de signal
signal processing	traitement de signal
signal regeneration	régénération de signal
simulate [to]	simuler
simultaneous note capacity	polyphonie
simultaneous note output	polyphonie
	sortie simultanée de notes
sine wave	onde sinusoïdale
single	seul
	unique
single carrier algorithm	algorithme à un seul porteur
single cartridge adaptor	adaptateur monocartouche
single stroke control key	commande monotouche
sink to ground [to]	mettre à la masse
slide	glissement
slide control	commande linéaire
	curseur
	potentiomètre à glissière

slide effect	effet de glissement
slide in [to]	introduire
slide panel	panneau mobile
slider	commande linéaire
	curseur
	potentiomètre à glissière
slider control	commande linéaire
	curseur
	potentiomètre à glissière
sliding scale	gamme mobile
slope	pente
slot	fente
	ouverture
slow access storage	mémoire lente
slow attack sound	son à attaque lente
socket	douille
	fixation
	prise
soft case	étui souple
	malette souple
soft key	touche souple
	touche tampon
song	chanson
	morceau
song memory	mémoire de morceaux
song position pointer	repère de position de morceau
sonic	sonique
sound	son
bottom-heavy -	- lourd
clear -	- clair
deep -	- profond
discordant -	- discordant
dull -	- terne
fat -	- riche
gentle -	- doux

gritty - - rude
harmonious - - harmonieux
high - - aigu
high-pitched - - aigu
hollow - - creux
loud - - fort
low - - grave
low-pitched - - grave
mellow - - moelleux
metallic - - métallique
muddy - - distordu
muffled - - étouffé
muted - - sourd
percussive - - percutant
piercing - - criard
powerful - - puissant
punchy - - mordant
realistic - - réaliste
reedy - - ténu
rich - - riche
- chaud
sharp - - perçant
smooth - - doux
soft - - doux
squeaky - - grinçant
sweet - - doux
thick - - consistant
warm - - chaud
sound effect effet sonore
sound library sonothèque
sound mix mixage de sons
mixage sonore
sound module module sonore
sound on sound son sur son
sound quality qualité sonore
sound signal signal sonore

sound source	source sonore
sound synthesis	synthèse sonore
sound synthesizer	synthétiseur de son
	synthétiseur sonore
source operator	opérateur source
source select	sélection de source
speaker	haut-parleur
specifications	caractéristiques (techniques)
spectrum	spectre
spectrum of harmonics	spectre d'harmoniques
speech synthesis	synthèse de la parole
	synthèse vocale
speech synthesizer	synthétiseur de parole
	synthétiseur vocal
speed up [to]	accélérer
split	division
	partage
	séparation
split [to]	diviser
	partager
	séparer
split point	point de partage
stability	stabilité
stack	pile
stand-alone	autonome
	non connecté
stand-by	attente
	attente, en -
stand-by time	temps d'attente
standard keyboard pitch	hauteur standard du clavier
standard pitch	hauteur standard
standardization	normalisation
	standardisation

standardize [to]	normaliser
	standardiser
start	départ
	mise en marche
start [to]	amorcer
	démarrer
	mettre en marche
start from scratch [to]	partir de rien
	partir de zéro
start/stop button	touche de marche/arrêt
startup	mise en route
statement	instruction
status	état
status monitoring	contrôle d'état
step	étape
	pas
step length	durée de pas
step recording	enregistrement pas à pas
step through [to]	parcourir
	passer en revue
step write	écriture par étapes
	écriture pas à pas
step-by-step instruction	instruction pas à pas
step-by-step operation	exécution pas à pas
stereo	stéréo
stereo delay	retard stéréo
stereo input	entrée stéréo
stereo output	sortie stéréo
stereo panning	panoramique stéréo
stereophonic	stéréophonique
stereophony	stéréophonie
stop	arrêt
	interruption
	stop
stop [to]	arrêter
	interrompre

stop button	bouton d'arrêt touche d'arrêt
storage	mémorisation
storage block	zone de mémoire
storage capacity	capacité de mémoire
storage dump	vidage de mémoire
storage dumping	transfert de mémoire
storage medium	support de mémoire
store	mémoire
store [to]	mémoriser
store all	mémorisation complète
store voice	mémorisation de son
storing voice data	mémorisation de données de son
strike [to]	frapper
structure	structure
structure flowchart	diagramme de structure
structured adaptive synthesis	synthèse adaptative structurée
subjob	sous-travail
sub-mixer	prémélangeur
sub-mode	mode secondaire sous-mode
subsequent	consécutif suivant ultérieur
substatus	sous-statut
substractive synthesis	synthèse soustractive
sustain	soutenu tenue
sustain footswitch	pédale de soutenu
sustain pedal	pédale de soutenu
sustain pedal assign	affectation de la pédale de soutenu
sustain switch	commutateur de soutenu
swap	échange

swap [to)	échanger
	permuter
sweep	balayage
swing	cadence
	rythme
switch	commande
	commutateur
	interruption
switch [to]	commuter
switch off [to]	fermer
	éteindre
	mettre hors tension
switch on [to]	allumer
	brancher
	mettre sous tension
switching	commutation
sync	synchronisation
sync [to]	synchroniser
sync clock	horloge de synchronisation
sync start	départ synchronisé
synchronization	synchronisation
synchronization clock	horloge de synchronisation
synchronization signal	signal de synchronisation
synchronize [to]	synchroniser
synchronized playback	exécution synchronisée
synchronous	synchrone
synchronous execution	exécution synchrone
synth	synthé
synthesis	synthèse
synthesizer	synthétiseur
synthesizer driver	contrôleur de synthétiseur
synthesizer unit	unité de synthèse
synthe-work	oeuvre pour synthétiseur
system	système

system configuration	configuration de système
system data	données de système
system diagram	schéma de fonctionnement
system exclusive	système exclusif
system flowchart	diagramme de système

T

tap [to]	tapoter
tape	bande (magnétique) cassette
tape [to]	enregistrer (sur bande)
tape cartridge	cartouche à bande
tape cartridge drive	lecteur de cartouche(s)
tape cassette drive system	système à cassette(s)
tape deck	enregistreur à bande
tape interface	interface cassette
tape memory	mémoire à bande magnétique
tape synchronize	synchronisation de bande
technical manual	manuel technique
technology	technologie
temperature	température
tempo	tempo
tempo control	commande de tempo
tempo controller	commande de tempo
temporary	temporaire
temporary buffer	tampon temporaire
temporary buffer memory	mémoire tampon temporaire
terminal	borne
terminal connector	connecteur
test	essai test
test out [to]	vérifier
threshold	seuil

thump	battement
	bruit lourd et sourd
tie	liaison
tie [to]	lier
tie button	touche de liaison
timbre	timbre
timbre envelope	enveloppe de timbre
timbre modulation	modulation de timbre
time	durée
	mesure
	temps
time signature	indication de la mesure
time variant amplifier	amplificateur à variation temporelle
time variant filter	filtre à variation temporelle
timing	synchronisation
timing control	commande de synchronisation
timing correction device	dispositif de correction de synchronisation
timing signal	signal de synchronisation
toggle switch	commutateur à bascule
tonal	tonal
tone	sonorité
	ton
tone colour	timbre
tone control	commande de tonalité
tone generation	génération de son
tone generator	générateur de son
top panel	panneau de commande
	panneau supérieur
total level	niveau d'ensemble
	niveau général
touch	toucher
touch [to]	toucher

touch response	réponse sensitive
touch-control	touche à effleurement
touch-sensitive	effleurement, à - réponse sensitive, à -
track mix	mixage de pistes
transmission	transmission
transmission condition	conditions de transmission
transmission interface	interface de communication
transmit buffer	tampon de transmission
transmit channel	canal de transmission
transmit data	transmission de données
transmitting channel	canal de transmission
transmitting equipment	appareil émetteur
transpose	transposition
transpose [to]	transposer
travel	course
treble	aigus
tremolo	trémolo
tremolo control	commande de trémolo
trigger	déclencheur dispositif à déclenchement
trigger [to]	déclencher
trigger level	niveau de déclenchement
trigger play	reproduction par déclenchement
trigger pulse	impulsion de déclenchement
troubleshooting	localisation de panne
tunable	accordable
tune	accord accordage accordement
tune [to]	accorder régler
tune function	fonction d'accord

tune job	travail d'accordage
tuneable	accordable
tuning	accord
	accordage
	accordement
	mise au point
	réglage
tuning fork	diapason
tuning function	fonction d'accord
turn off [to]	débrancher
	désenclencher
	éteindre
	fermer
	mettre hors circuit
	mettre hors fonction
turn on [to]	allumer
	brancher
	enclencher
	mettre en marche
	mettre sous tension
	ouvrir

U

unbalanced	déséquilibré
unbalanced input	entrée asymétrique
unbalanced output	sortie asymétrique
unison	unisson
unit	élément organe unité
universal element	élément universel
unloaded	non chargé
unlock [to]	déverrouiller
unlock key	touche de déverrouillage
unplug [to]	débrancher
upgradable	extensible
upper	partie supérieure d'un clavier
upper keyboard	clavier supérieur
upper manual	clavier supérieur
user-accessible	accessible à l'utilisateur
user-definable	définissable par l'utilisateur
user-defined	défini par l'utilisateur
user-friendly	convivial facile d'emploi
user-programmable	programmable par l'utilisateur
user's guide	manuel de l'utilisateur
utility function	fonction utilitaire
utility memory	mémoire utilitaire

V

value	valeur
value assignment	assignation de valeur
vamp	improvisation
variable digital amplifier	amplificateur numérique variable
variable digital filter	filtre numérique variable
variation	variation
vary [to]	changer modifier, se - varier
vector synthesis	synthèse vectorielle
velocity sensitive	à réponse sensitive sensible à la vélocité de frappe
velocity sensitive keyboard	clavier à réponse sensitive
verify	vérification
verify [to]	vérifier
verifying	vérification
vertical arrow	flèche verticale
vibrato	vibrato
vibrato control	commande de vibrato
vibrato generator	générateur de vibrato
vibrator	ondulateur
visual indication	indication optique
visual indicator	affichage optique
visual readout	affichage
visual signal	signal optique
voice	voix

voice frequency	fréquence vocale
voltage	tension voltage
voltage adapter switch	sélecteur de tension
voltage amplifier	amplificateur de tension
voltage controlled amplifier	amplificateur contrôlé par tension
voltage controlled filter	filtre contrôlé par tension
voltage controlled oscillator	oscillateur contrôlé par tension
voltage regulator	régulateur de tension
voltage selector	sélecteur de tension
voltage spike	surtension
voltage surge	surtension
voltage variation	variation de tension
volt-ampere	voltampère
volume	volume
volume change	modification de volume
volume control	bouton de réglage de volume commande de volume
volume envelope	enveloppe de volume

W

waiting state	état d'attente
waiting time	temps d'attente
wall socket	prise secteur murale
wave	onde
pulse -	- d'impulsion
sawtooth -	- en dent de scie
sine -	- sinusoïdale
square -	- carrée
waveform	forme d'onde
wave generator	générateur d'ondes
waveshape	forme d'onde
weighted	pondéré
weighted keyboard	clavier pondéré
weighting	pondération
wheel	molette
	roue
white noise	bruit blanc
width	amplitude
window	fenêtre
wipe out [to]	effacer
wire	fil (électrique)
wiring	câblage
wiring board	tableau de connexions
wiring diagram	plan de câblage
wiring error	erreur de câblage
work [to]	fonctionner
working diagram	diagramme de fonctionnement

wow	pleurage
write action	opération d'écriture
write error	erreur à l'écriture
write-protect	protection à l'écriture
write-protected	protégé en écriture

X

x-character y-line LCD	ACL à y lignes de x caractères
x-note keyboard	clavier à x notes
x-note polyphonic	polyphonique à x notes
x-note polyphony	polyphonie à x notes
x-pin plug	fiche à x broches
x-track recording	enregistrement à x pistes
x-way keyboard split	partage du clavier en x sections
XLR jack	prise XLR
XLR-type connector	connecteur de type XLR

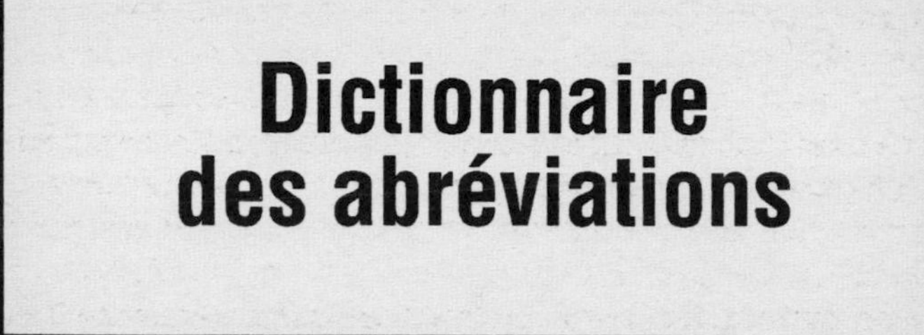

Dictionnaire des abréviations

- **ABC :** auto bass chord
  accord de basse automatique
- **AC :** alternating current (en français : CA)
  courant alternatif
- **ADC :** analog-to-digital converter (en français : CAN)
  convertisseur analogique/numérique
- **ADE :** automatic data exchange
  échange automatique de données
- **ADSR :** attack-decay-sustain-release
  attaque-décroissance-soutien-relâchement
- **AM :** amplitude modulation (en français : MA)
  modulation d'amplitude
- **AMD :** amplitude modulation depth
  taux de modulation d'amplitude
- **AMS :** amplitude modulation sensitivity
  sensibilité à la modulation d'amplitude
- **ASCII :** American standard code for information interchange
  (code) ASCII
- **ATP :** audio trigger play
  reproduction par déclenchement audio
- **bpm :** beats per minute
  t.p.m. : temps par minute
- **cps :** cycles per second
  cps : cycles par seconde
- **DAC :** digital-to-analog converter (en français : CNA)
  convertisseur numérique/analogique

- **dB :** decibel
décibel
- **DC :** direct current (en français : CC)
courant continu
- **DCO :** digital controlled oscillator (en français : OCN)
oscillateur à commande numérique
- **DDA :** digital dynamic amplifier (en français : ADN)
amplificateur dynamique numérique
- **DDF :** digital dynamic filter (en français : FDN)
filtre dynamique numérique
- **DDL :** digital delay line (en français : LRN)
ligne de retard numérique
- **DFG :** digital frequency generator
générateur de fréquences numérique
- **DHG :** digital harmonics generator
générateur d'harmoniques numérique
- **DIN :** Deutsche Industrienorm
norme industrielle allemande
- **DLM :** differential loop modulation
modulation différentielle en boucle
- **DMA :** direct memory access
accès direct à la mémoire
- **EBC :** EG bias control
commande de polarisation du G.E.
- **EG :** envelope generator (en français : G.E.)
générateur d'enveloppes
- **FM :** frequency modulation (en français : MF)
modulation de fréquence
- **HF :** high frequency
haute fréquence

- **HPF :** high-pass filter
  filtre passe-bas
- **IC :** integrated circuit
  circuit intégré
- **ID :** identification
  identification, nom de code
- **Kb :** kilobyte (en français : Ko)
  kilo-octet
- **KB :** kilobaud
  kilobaud
- **KBD :** keyboard
  clavier
- **LA :** linear arithmetic synthesis
  synthèse arithmétique linéaire
- **LCD :** liquid crystal display (en français : A.C.L.)
  affichage à cristaux liquides
- **LED :** light emitting diode (en français : D.E.)
  diode électroluminescente
- **LF :** low frequency (en français : BF)
  basse fréquence
- **LFO :** low frequency oscillator (en français : OBF)
  oscillateur basse fréquence
- **LPF :** low-pass filter
  filtre passe-bas
- **LS :** loudspeaker (en français : HP)
  haut-parleur
- **LSB :** least significant bit
  binaire de poids faible
- **MG :** modulation generator
  générateur de modulation

- **MIDI** : musical instrument digital interface
  interface numérique pour instruments de musique
- **ms** : millisecond
  ms : milliseconde
- **MSB** : most significant bit
  binaire de poids fort
- **NG** : noise generator
  générateur de bruit
- **PA** : power amplification/amplifier
  amplification/amplificateur de puissance
- **PCM** : pulse code modulation
  modulation par impulsions codées
- **RAM** : random access memory (en français : MEV)
  mémoire vive
- **ROM** : read-only-memory (en français : MEM)
  mémoire morte
- **S/H** : sample and hold
  échantillonneur-bloqueur
- **TVA** : time variant amplifier (en français : AVT)
  amplificateur à variation temporelle
- **TVF** : time variant filter (en français : FVT)
  filtre à variation temporelle
- **VA** : volt-ampere
  voltampère
- **VCA** : voltage controlled amplifier
  amplificateur contrôlé par tension
- **VCF** : voltage controlled filter
  filtre contrôlé par tension
- **VCHPF** : voltage controlled high-pass filter
  filtre passe-haut contrôlé par tension

- **VCLPF** : voltage controlled low-pass filter
  filtre passe-bas contrôlé par tension
- **VCO** : voltage controlled oscillator
  oscillateur contrôlé par tension
- **VDA** : variable digital amplifier
  amplificateur numérique variable
- **VDF** : variable digital filter
  filtre numérique variable
- **WG** : wave generator (en français : G.O.)
  générateur d'ondes

Dictionnaire visuel bilingue

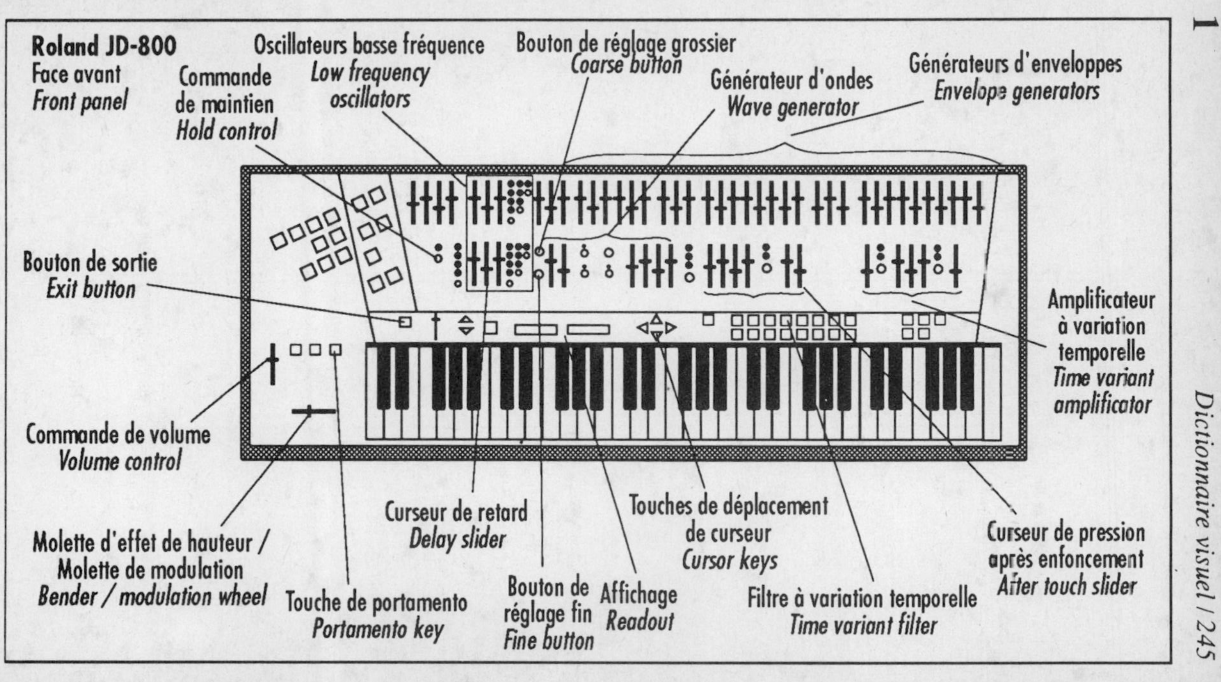
Roland JD-800
Face avant
Front panel
Oscillateurs basse fréquence
Low frequency oscillators
Commande de maintien
Hold control
Bouton de réglage grossier
Coarse button
Générateur d'ondes
Wave generator
Générateurs d'enveloppes
Envelope generators
Bouton de sortie
Exit button
Amplificateur à variation temporelle
Time variant amplificator
Commande de volume
Volume control
Molette d'effet de hauteur / Molette de modulation
Bender / modulation wheel
Touche de portamento
Portamento key
Curseur de retard
Delay slider
Bouton de réglage fin
Fine button
Affichage
Readout
Touches de déplacement de curseur
Cursor keys
Filtre à variation temporelle
Time variant filter
Curseur de pression après enfoncement
After touch slider

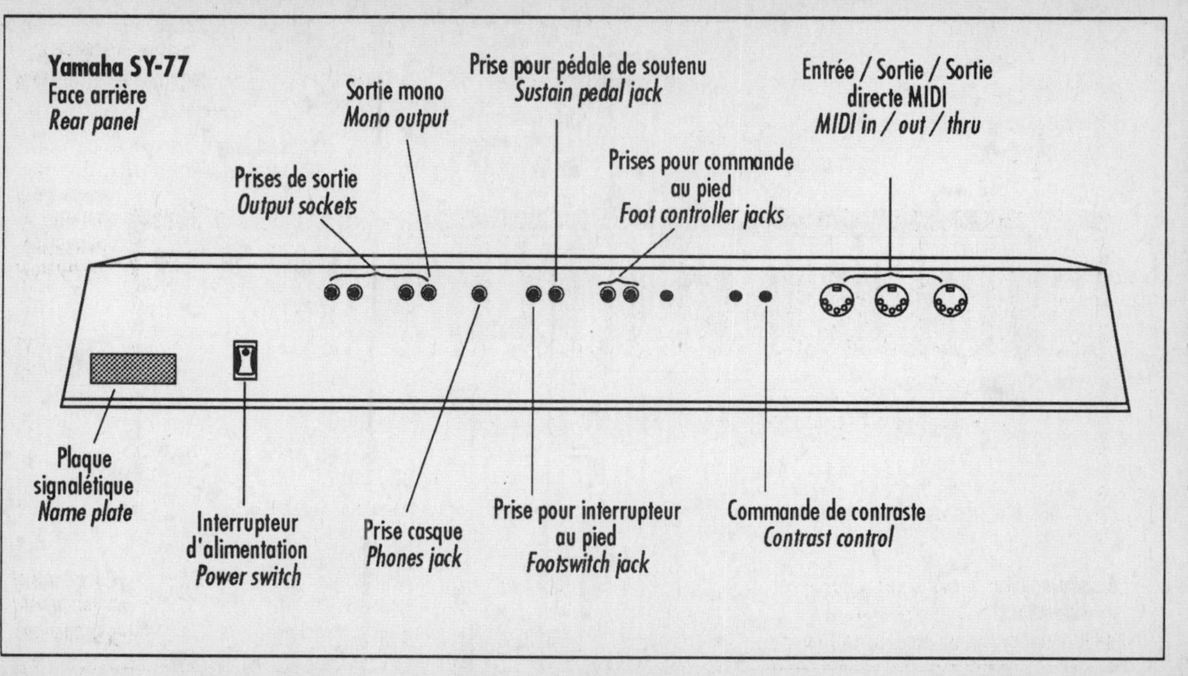
Yamaha SY-77
Face arrière
Rear panel
Sortie mono
Mono output
Prise pour pédale de soutenu
Sustain pedal jack
Entrée / Sortie / Sortie
directe MIDI
MIDI in / out / thru
Prises de sortie
Output sockets
Prises pour commande
au pied
Foot controller jacks
Plaque
signalétique
Name plate
Interrupteur
d'alimentation
Power switch
Prise casque
Phones jack
Prise pour interrupteur
au pied
Footswitch jack
Commande de contraste
Contrast control

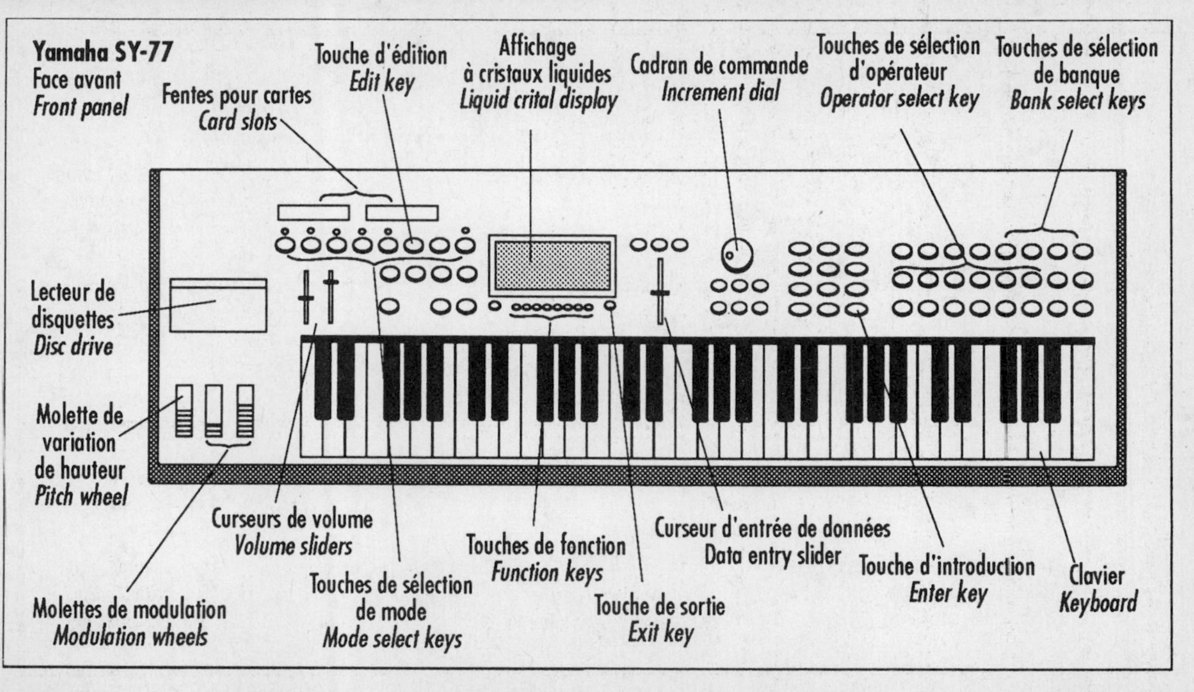
Yamaha SY-77
Face avant
Front panel
Fentes pour cartes
Card slots
Touche d'édition
Edit key
Affichage à cristaux liquides
Liquid crital display
Cadran de commande
Increment dial
Touches de sélection d'opérateur
Operator select key
Touches de sélection de banque
Bank select keys
Lecteur de disquettes
Disc drive
Molette de variation de hauteur
Pitch wheel
Molettes de modulation
Modulation wheels
Curseurs de volume
Volume sliders
Touches de sélection de mode
Mode select keys
Touches de fonction
Function keys
Touche de sortie
Exit key
Curseur d'entrée de données
Data entry slider
Touche d'introduction
Enter key
Clavier
Keyboard

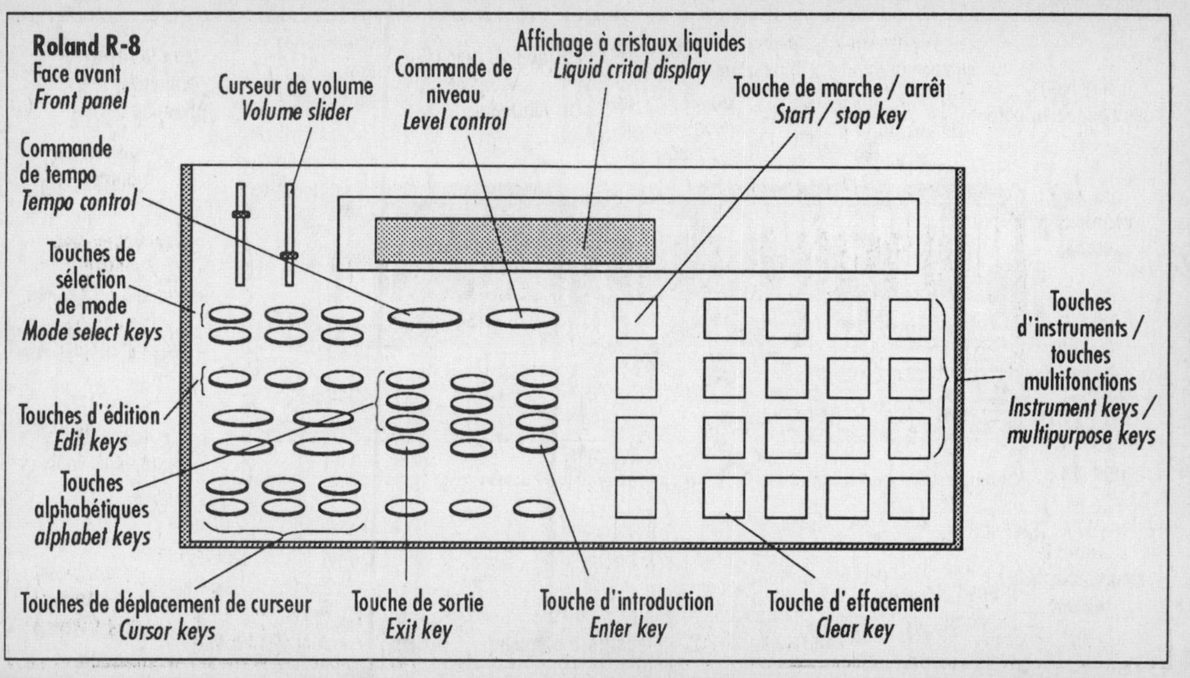
Roland R-8
Face avant
Front panel
Curseur de volume
Volume slider
Commande de
niveau
Level control
Affichage à cristaux liquides
Liquid crital display
Touche de marche / arrêt
Start / stop key
Commande
de tempo
Tempo control
Touches de
sélection
de mode
Mode select keys
Touches
d'instruments /
touches
multifonctions
Instrument keys /
multipurpose keys
Touches d'édition
Edit keys
Touches
alphabétiques
alphabet keys
Touches de déplacement de curseur
Cursor keys
Touche de sortie
Exit key
Touche d'introduction
Enter key
Touche d'effacement
Clear key

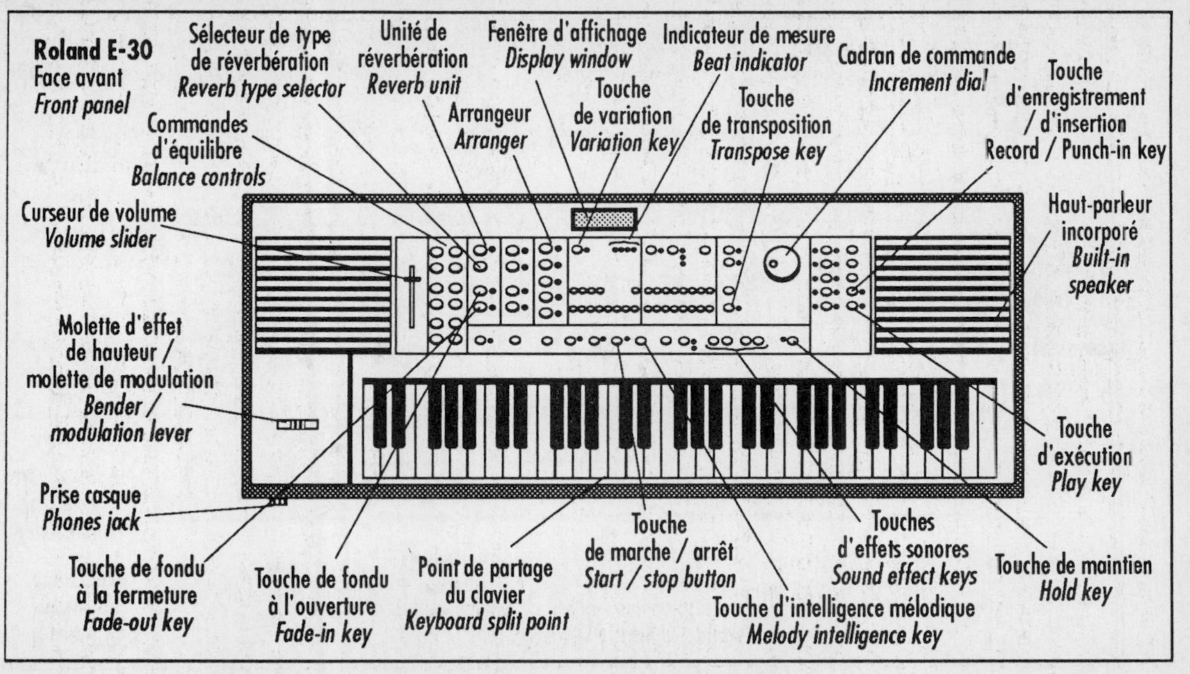
Roland E-30
Face avant
Front panel
Sélecteur de type de réverbération
Reverb type selector
Unité de réverbération
Reverb unit
Fenêtre d'affichage
Display window
Indicateur de mesure
Beat indicator
Cadran de commande
Increment dial
Touche d'enregistrement / d'insertion
Record / Punch-in key
Commandes d'équilibre
Balance controls
Arrangeur
Arranger
Touche de variation
Variation key
Touche de transposition
Transpose key
Curseur de volume
Volume slider
Haut-parleur incorporé
Built-in speaker
Molette d'effet de hauteur / molette de modulation
Bender / modulation lever
Touche d'exécution
Play key
Prise casque
Phones jack
Touche de fondu à la fermeture
Fade-out key
Touche de fondu à l'ouverture
Fade-in key
Point de partage du clavier
Keyboard split point
Touche de marche / arrêt
Start / stop button
Touche d'intelligence mélodique
Melody intelligence key
Touches d'effets sonores
Sound effect keys
Touche de maintien
Hold key

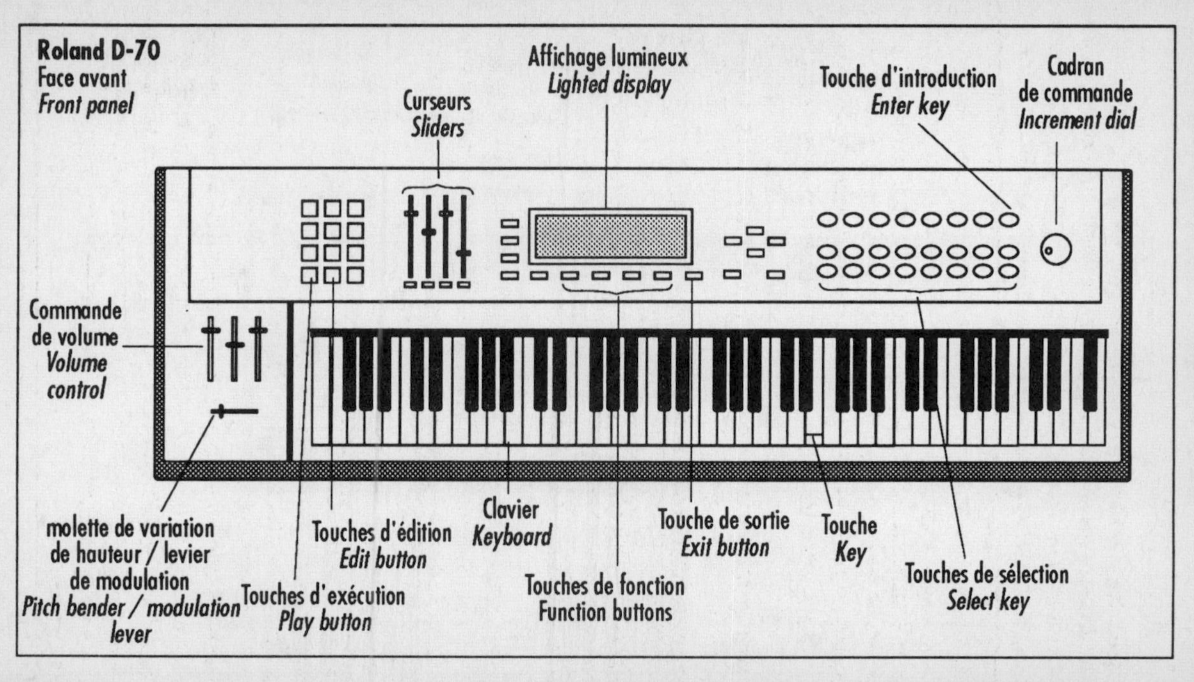
Roland D-70
Face avant
Front panel
Curseurs
Sliders
Affichage lumineux
Lighted display
Touche d'introduction
Enter key
Cadran
de commande
Increment dial
Commande
de volume
Volume
control
molette de variation
de hauteur / levier
de modulation
Pitch bender / modulation
lever
Touches d'exécution
Play button
Touches d'édition
Edit button
Clavier
Keyboard
Touches de fonction
Function buttons
Touche de sortie
Exit button
Touche
Key
Touches de sélection
Select key

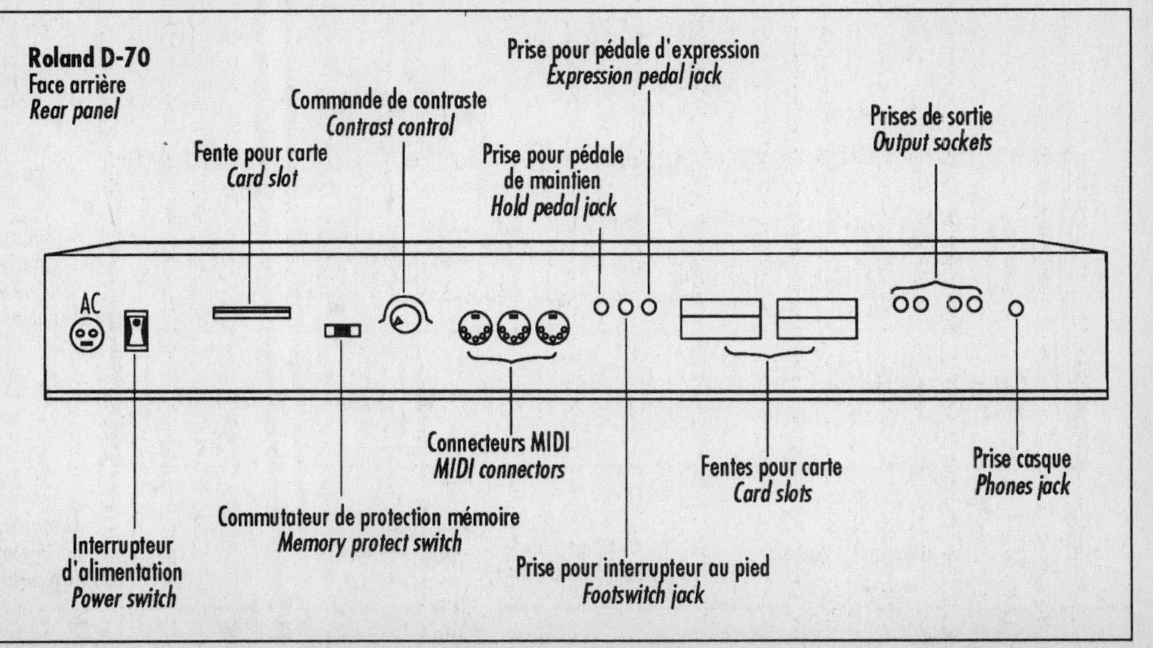
Roland D-70
Face arrière
Rear panel
Fente pour carte
Card slot
Commande de contraste
Contrast control
Prise pour pédale
de maintien
Hold pedal jack
Prise pour pédale d'expression
Expression pedal jack
Prises de sortie
Output sockets
AC
Interrupteur
d'alimentation
Power switch
Commutateur de protection mémoire
Memory protect switch
Connecteurs MIDI
MIDI connectors
Prise pour interrupteur au pied
Footswitch jack
Fentes pour carte
Card slots
Prise casque
Phones jack

BIBLIOGRAPHIE

- Modes d'emploi et catalogues publiés par :
    - Akai
    - Casio
    - Hohner
    - Kawai
    - Korg
    - Roland
    - Seiko
    - Technics
    - Yamaha

- *Roland Info Magazine*, Oevel-Westerlo, 1988-1991
- *Meet Music Magazine*, Music Meets... sprl, Stekene, 1989-1991
- *Clavier Magazine*, Paris, 1990-1991
- *Keyboard Magazine*, Boulogne, 1990-1991
- *Musicien*, Paris, 1990-1991
- *La traduction scientifique et technique*, Editions Technique et Documentation, Paris, 1981
- *The new Penguin dictionary of electronics*, second edition, Market House Books Ltd, 1988
- *L'indispensable pour la musique assistée par ordinateur*, Luc Calberg et Patrick Lefebvre, Marabout (MS 862), Alleur, 1988
- *Le synthétiseur facile*, Luc Calberg et Patrick Lefebvre, Marabout (MS 955), Alleur, 1991
- *Electronic and experimental music*, Thomas B. Holmes, Charles Scribner's sons, New York, 1985
- *What's a synthesizer*, Jon F. Eiche, Hal Leonard Books, United States of America, 1987

• *MIDI guidebook*, fourth edition, Roland Corporation, Japan, 1987
• *The development and practice of electronic music*, Jon H. Appleton & Ronald C. Pereka, Prentice-Hall Inc., New Jersey, 1975
• *Synthesizer basics*, Dean Friedman, Amsco Publications, New-York, 1986
• *Technique complète des synthétiseurs*, Jean-Paul Verpeaux, Musicom Publications, 1985
• *Dictionnaire bilingue d'informatique* (anglais-français/français-anglais), Virga, Marabout (MS 839)

Périodiques

- **GUITARES & CLAVIERS**
  Rue Lord Byron, 1
  75008 Paris (France)

- **KEYBOARD**
  Rue de la Paix, 10
  92100 Boulogne (France)

- **LES CAHIERS DE L'ACME**
  Avenue du Cor de Chasse, 99
  1170 Bruxelles

- **MEET MUSIC MAGAZINE**
  Voorhout, 57
  9190 Stekene

- **MUSICIEN**
  Rue de la Chaussée d'Antin
  75009 Paris (France)

- **SONO**
  Rue de Bellevue, 2-12
  75940 Paris (France)

IMPRIMÉ EN FRANCE PAR BRODARD ET TAUPIN
1238F-5 - Usine de La Flèche (Sarthe), le 10-01-1992.

pour le compte des
Nouvelles Editions Marabout
D.L. janvier 1992/0099/25
ISBN 2-501-01715-3